# Primeros auxilios en tipografía

**Editorial Gustavo Gili, SA**

**08029 Barcelona** Rosselló, 87-89. Tel 93 322 81 61
**México, Naucalpan 53050** Valle de Bravo, 21. Tel. 55 60 60 11
**Portugal, 2700-606 Amadora** Praceta Notícias da Amadora, nº 4-B. Tel. 21 419 09 36

Hans Peter Willberg   Friedrich Forssman

# Primeros auxilios en tipografía

## Consejos para diseñar con tipos de letra

**GG**®

Título original
*Erste Hilfe in Typografie.*
*Ratgeber für Gestaltung mit Schrift*
Publicado originalmente por Verlag Hermann
Schmidt, Maguncia

*Concepción, diseño y composición*:
Hans Peter Willberg y
Friedrich Forssman
*Ilustraciones*: Robert Miltenburger, Maguncia
*Gráficos*: Peter Palm, Berlín
*Gráfico superior de la página 94*: © 1999
Prof. Dr. A.C. Hübler, Instituto Tecnológico de
Impresión y Comunicación de la Universidad
Politécnica de Chemnitz
*Reproducciones*:
Saase + Heller Reprotechnik,
Ingelheim

Director de la colección
Yves Zimmermann

Versión castellana de Esther Monzó

Revisión técnica por Josep Babiloni

© Verlag Hermann Schmidt, Maguncia, 1999
y para la edición castellana
Editorial Gustavo Gili, SA, Barcelona, 2002

*Printed in Spain*
ISBN 84-252-1885-3
Depósito legal: B. 9.391–2003
Impresión: Aleu, S.A., Barcelona

# Índice

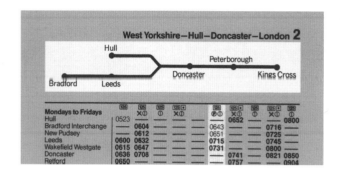

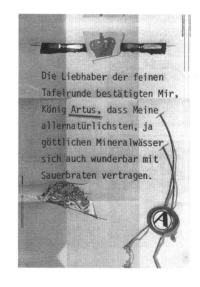

| | |
|---|---|
| die **Eigenschaft**, die Eigenschaften | der **Einfall**, die Einfälle |
| **eigensinnig**, | der **Einfluss**, die Einflüsse |
| ein eigensinniges Kind | der **Eingang**, die Eingänge |
| **eigentlich** | **einheften**. |
| das **Eigentum**, die Eigentümer | du heftest das Blatt ein, |
| sich **eignen**, du eignest dich, | sie heftete das Blatt ein |
| es eignete sich gut | **einheimisch** |
| die **Eile** | **einheitlich**. |
| **eilen**, du eilst, sie eilte | ein einheitliches Muster |
| **eilig**, es eilig haben | die **Einheit**, die Einheiten |
| der **Eimer**, die Eimer | **einig**, sich einig sein |
| **ein**, eine, einer, eines | einige, einige Kinder |
| **ein-**: Es gibt viele Wörter mit | sich **einigen**, du einigst dich, |
| ein-. Suche auch bei dem Wort, | sie einigte sich, geeinigt |
| das den zweiten Wortteil bildet | **einigermaßen** |
| (z. B. einwerfen, der Einsatz). | **einmal**, auf einmal |
| **einander**, einander helfen | das **Einmaleins** |
| die **Einbahnstraße**. | **einmalig**, |
| die Einbahnstraßen | ein einmaliges Erlebnis |
| sich **einbilden**, du bildest dir ein, | **einpacken**, du packst ein, |
| sie bildete sich ein, | er packte ein, eingepackt |
| eingebildet, die Einbildung | sich **einprägen**, du prägst dir ein, |
| sich **einbläuen**, du bläust es dir ein, | sie prägte sich ein |
| sie bläute es sich ein | die **Einrichtung**, die Einrichtungen |
| der **Einbrecher**, die Einbrecher | **eins** |
| der **Einbruch**, die Einbrüche | **einsam**, ein einsamer Ort |
| der **Eindruck**, die Eindrücke | die **Einsamkeit** |
| **einfach**, ein einfacher Plan | der **Einsatz**, die Einsätze |

76

Ludwig Christoph Heinrich Hölty

*Der Gärtner an den Garten im Winter*
Eine Idylle

In Silberhüllen eingeschleiert
Steht jetzt der Baum,
Und streckt seine nackten Äste
Dem Himmel zu.

Wo jüngst das reife Gold des Fruchtbaums
Geblinkot, hüngt
Jetzt Eis herab, das keine Sonne
Zerschmelzen kann.

Entblättert steht die Rebenlaube,
Die mich in Nacht
Verschloß, wenn Phöbus flammenatmend
Herniedersah.

Das Blumenbeet, wo Florens Töchter
In Morgenrot
Gekleidet, Wohlgeruch verhauchten,
Versinkt in Schnee.

Nur du, mein kleiner Buchsbaum, pflanzest
Dein grünes Haupt
Dem Frost entgegen, und verhöhnest
Des Winters Macht.

Mit Goldschaum überzogen, funkelst
Du an der Brust
Des Mädchens, das die Dorfschalmeie
Zum Tanze ruft.

Ruh sanft, mein Garten, bis der Frühling
Zur Erde sinkt,
Und Silberkränze auf die Wipfel
Der Bäume streut.

Dann gaukelt Zephyr in den Blüten,
Und küsset sie,
Und weht mir mit den Düften Freude
In meine Brust.

Und wann der Nahme fleugt
in ferne Lande.

Die Einfalt dachte nicht/
daß Ruhm vnd Ehre
Ein lautres Traumgedicht
vnd Schatten were.
Es stehn die Beyde schier
in fremden Willen/
Vnd können die Begier
doch nicht erfüllen.

Ob einer zu dir kreucht/
Sich vor dir beuget/
Den Hut tieff abe zeucht/
Die Schultern neiget/
Spricht schlecht/ er sey dein Knecht/
der vor dir stehe/
Wer weiß ta/ ob es recht
von Hertzen gehe.

Wer weiß/ wo ihn der Neyd
vnd Mißgonst nagen/
Was er zur andern Zeit
von dir darff sagen?
Vielleicht wird dieser Mann
sich noch befleissen/
Dich/ wo ers schaffen kan/
gar außzubeissen.

Weil dann Gut/ Ehr vnd Gelt
verschwinden müssen/

60

220

**Los 15 son buenos**

Todos los ejemplos de las páginas 6 y 7 son muestras de una buena tipografía. Están bien resueltos formalmente, lo cual satisface una de las condiciones, y cumplen también con su cometido, que es el otro requisito de una buena tipografía.

### ¿Cuál es la función?

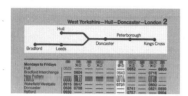

Mostrar rápidamente cómo ir de A a B.

Proclamar la fuerza de la fe y de la vida.

Inducir a la lectura.

Divertir para anunciar.

Romper las ataduras tipográficas.

Una liquidación de impuestos holandesa (¡si la apariencia de nuestros formularios fuese igual de buena!).

Introducir la letra gótica.

Facilitar a los niños la consulta de palabras.

Ser reconocible a primera vista (una matrícula noruega; ¡ay, si las nuestras…!).

Representar, recordar, funcionar.

Probar nuevos caminos tipográficos.

Acertar el tono (poesía compuesta de letra palo seco y gótica).

# Prólogo

¿De qué hablamos?

Hay que entender por **«tipografía»**, en sentido estricto, el diseño con tipos de letra disponibles; no comprende, por tanto, ni la caligrafía ni el diseño de alfabetos tipográficos.

Pero también utilizamos en un sentido más amplio la expresión «tipografía» y también incluimos imágenes y otro tipo de materiales.

Dentro de esta definición hay una diversidad ilimitada de aspectos tipográficos. Para su valoración, vale esta norma: el fin determina los medios.

La tipografía puede dividirse en dos ámbitos:

En primer lugar, la concepción, el proyecto, la idea, el diseño en general. Aquí se incluye la elección del formato, del tipo de letra, de los colores, del papel; luego la composición de las páginas y, en trabajos que abarcan varias páginas, la compaginación. Para ello ya se ha generalizado el uso del término **«macrotipografía»**.

En segundo lugar, todo lo relacionado con el espaciado entre los caracteres, las palabras y las líneas; en definitiva, los detalles en la composición tipográfica. Esto es lo que se conoce como **«microtipografía»**.

«No deberíais haber publicado este libro», nos decían algunos colegas del mundo profesional de la tipografía. «Si explicáis las claves de nuestro oficio a los principiantes y a los aprendices, lo harán todo ellos mismos y los profesionales perderemos a nuestros clientes.»

Nosotros, los autores y los editores de este libro, pensamos precisamente todo lo contrario. Desde hace tiempo es habitual este «hacérselo uno mismo», y los resultados suelen ser muy dudosos; ya que los principiantes en tipografía no perciben lo que resulta incorrecto y desconocen el buen hacer del oficio. Y, así, uno se acostumbra a diseños tipográficos equivocados y malos.

Sin embargo, si explicamos lo que es importante, es posible que consigamos una cierta sensibilidad por la tipografía: puede que, entonces, la gente perciba las incorrecciones y aprenda a reconocer y a apreciar el trabajo de los tipógrafos profesionales. De ello resultará la percepción de que hay muchos ámbitos que es mejor dejar a los profesionales, aunque también existen otros que uno puede llegar a dominar con satisfacción.

**Primeros auxilios en tipografía** no quiere ni debe ser un sustituto del estudio especializado. Tan sólo pretende explicar las materias básicas de la tipografía y contribuir con ello a evitar que se cometan errores.

Alguien podría argüir, no obstante, que la tipografía es una cuestión de gusto. Si estuviésemos hablando de decoración, quizás podríamos aceptar este argumento; pero dado que la tipografía tiene como prioridad la información, los errores no sólo molestan, sino que incluso puede dañar el mensaje. Los errores pueden ser de distintos tipos y algunos pueden perjudicar al mensaje con una mala legibilidad.*

*\* También se habla de «lecturabilidad», pero por la sonoridad de ambas voces preferimos la opción «legibilidad».*

*Otra aclaración: las tipógrafas deben disculparnos por no utilizar la doble acepción de «tipógrafos y tipógrafas», ya que aquí siempre nos referimos, sin distinción de sexo, a las personas que ejercen la profesión.*

Cuando un mensaje de vital importancia se lee con dificultad, puede resultar peligroso. La tipografía debe ser funcional si quiere cumplir con su tarea.

PROHIBIDO PASAR
¡PELIGRO DE MUERTE!

Pero también podemos encontrarnos con errores estéticos. Si una tipografía es demasiado «bella» puede incumplir igualmente su cometido. También la forma es parte integrante de la función.

Prohibido
PROHIBIDO PASAR
pasar
¡PELIGRO DE MUERTE
¡Peligro de muerte!

En el caso de una señal de advertencia, sólo existe una solución correcta: una letra bien legible y clara, dispuesta de un modo que no pueda pasar desapercibida.

**Prohibido pasar**
**¡Peligro de muerte!**

Pero esto también puede hacerse de maneras más o menos adecuadas. Por ejemplo, podemos situar la letra de forma clara y correcta en la superficie, o con una inadecuada proporción. Con ello no se perjudicaría el efecto preventivo, pero el resultado sería un trabajo artesanal de mala calidad.

**Prohibido pasar**

**¡Peligro de muerte!**

La correcta elección de los medios para el diseño es uno de los requisitos indispensables para una tipografía de utilidad; otra condición es el uso adecuado de estos medios. Para ello, existen unas reglas básicas en tipografía que se ocupan de la correcta legibilidad de los textos, que resulten comprensibles y eviten confusiones. Una raya, por ejemplo, es algo distinto de un guión, aunque la máquina de escribir era demasiado simple para establecer estas distinciones y nos ha atrofiado la sensibilidad ante esta pequeña diferencia. No obstante, ahora, en la era de la informática, tenemos la posibilidad de remediarlo. El presente libro pretende proporcionar unos «primeros auxilios» para los errores más frecuentes.

Pero quien observe con detalle el panorama tipográfico podrá advertir siempre de nuevo numerosos desacatos contra éstas y otras reglas, también en el trabajo de los profesionales. Puede darse el caso de que algunos diseñadores gráficos no dominen la tipografía, disciplina profesional dura, (sirvan también para ellos estos «primeros auxilios») o quizás deciden conscientemente no observar estas normas. Como ejemplo, en la página 59 se explica que las comillas son así:

## "comillas"
(regla mnemotécnica: 66/99.) Aunque en un anuncio podrían utilizarse comillas gigantescas y disponerse de este modo:

## ‘‘comillas’’
Según las normas de la lectura esto es erróneo, aunque existen casos concretos en que puede resultar correcto; quien conoce y domina las reglas también puede infringirlas.

Así pues, hay asuntos que no deben dejarse en manos de principiantes; éstos deben hacerse primero con el «lenguaje», una materia que los poetas pueden manejar a su antojo, pero que debe respetar quien redacta una carta comercial. Con el lenguaje de la tipografía ocurre lo mismo.

A alguien que acaba de aprender a cocinar no se le aconsejaría nunca que lo intentase primero con un *soufflée*, que es cosa de maestros. Quien se inicia en la tipografía no debe atreverse con demostraciones de pericia, por mucho que le tiente el programa informático. Composición en forma de circunferencia, sombreados, degradados, superposición de letras, cambios entre positivo y negativo, distorsión de la perspectiva y otras cuestiones de este tipo hay que dejarlas a los profesionales. Sólo puede realizarlas un experto (el ejemplo es de Rambow); de lo contrario, el resultado puede ser penoso.

Tanto más es así en el caso de los logotipos corporativos, que requieren un alto grado de conocimientos profesionales. Un logotipo es una tarea compleja que no puede hacerse con simples apaños. Aquí sólo existe un consejo posible para los principiantes: ¡manos fuera!

Actualmente parece gustar especialmente la técnica de guarnecer la letra con texturas o elementos de imágenes irreconocibles. Este fragmento del prospecto de un teatro de verano (el original es en color) muestra lo que puede ocurrir:

gemeinschaft Altusried · Dirig
enten: Renate Heberle und
Barbara Gruber; Wally Hutter
**Bühnenbild:** Hanns Schusch
**Koordination:** Josef Greither
neindebauhof und viele frei
tüme: Annemarie und Herbe
ermann Baur, Helga Dietrich,
**Gaukler:** Hansjörg Mayer
nd Wagen: Reit- und Fahrve
ard Roth, Josef Steinhäuser u
chnik: Fa. Sonus und Adrian
nik: Peter Merk, Otto Peter un
Ralf Guggenmos und Mich

En realidad, el texto debería poder leerse, pero no es así porque la textura se percibe en exceso. Unas manos inexpertas no deberían nunca acudir a un fondo tan resonante visualmente.
En otras palabras: el que quiera encontrar en estos «Primeros auxilios en tipografía» trucos e instrucciones para fruslerías creativas buscará en vano. Nuestra meta es promover la comprensión de la tipografía y no enseñar cualquier pasatiempo.

**Primeros auxilios en tipografía** ofrece, por un lado, una introducción al material tipográfico básico (el tipo y sus aplicaciones, las imágenes, el papel, la reproducción y la impresión) y, por otro, ejemplos y consejos para algunas tareas de diseño (cartas, tipografía para niños, para científicos, etc.). Por consiguiente, es tanto un manual con objetivos formativos como también una especie de libro de consulta, y en este contexto hay que entender la reiteración de consejos y explicaciones.

El tema de «Primeros auxilios» es: «¿Cómo debo diseñar esto?» Y no «¿Cómo hago esto con mi ordenador?» Si quisiéramos ocuparnos de los distintos programas, el libro quedaría obsoleto a la misma velocidad a la que aparecen las nuevas versiones.

En la época en que la tipografía todavía estaba en manos de los cajistas, tras años de aprendizaje, se desarrolló un lenguaje gremial, una especie de lenguaje secreto que comparten los miembros del gremio («líneas viudas», «líneas huérfanas») y que excluye a los legos. Hoy en el mundo de habla inglesa de la informática, se ha ido creando un idioma en principio únicamente comprensible para los expertos («kerning», «multiple master cuts»). También ocurre que ambos lenguajes difieren o colisionan («cuadratín», «cuadratín estándar», «cuadratín quark»). Por eso explicamos los conceptos que utilizamos en estos «primeros auxilios», ya sea *in situ* o bien en el glosario de la página 100. Lo que hemos pasado por alto aparecerá en la próxima edición, si es que hay una segunda. Lo mismo ocurre con otras cuestiones que quizás necesiten mayores explicaciones para aclarar o completar los conceptos.

Las imágenes a partir «de la vida misma» suelen mostrar más ejemplos negativos que positivos. A veces se nos reprochará que este procedimiento es destructivo, pero pensamos que de este modo se hace más patente dónde hay un problema que en un trabajo equilibrado que habría que explicar con más detalle. Queremos dejar claro que no pretendemos en ningún momento jugar una mala pasada a nuestros colegas (ni a los principiantes), sino sólo poner el dedo en la llaga. Resulta más fácil demostrar que estas líneas son «feas»:

## Día del partido: viernes, 16 de julio de 1999 Comienzo: 20:30 h

(en concreto, porque dejan agujeros y están pegadas las unas a las otras, es decir, porque el espacio entre letras es demasiado escaso, el espacio entre las palabras demasiado amplio y el interlineado demasiado apretado), que explicar que las líneas que hemos compuesto para comparar con las anteriores:

## Día del partido: viernes, 16 de julio de 1999 Comienzo: 20:30 h

son «buenas» (porque no presentan agujeros y no están pegadas las unas a las otras).

La tipografía es un tema extremadamente rico, en el que muchos se ven atrapados sin posibilidad de escapatoria.

finalmente, los autores quieren agradecer a los editores, Karin y Bertram Schmidt-Friderichs su apoyo crítico, los ánimos y los estímulos que nos han proporcionado; agradecen también a Robert Miltenburger las ilustraciones de este libro y a Peter Palm la composición de las páginas «Gráficos» y «Diagramas».

Hans Peter Willberg
Friedrich Forssman

La tipografía no existe simplemente para ser leída, también para ser vista.

Hace milenios que la escritura ejerce su influencia sobre los seres humanos. Exigencias imperiales, una seriedad impregnada de confianza, la promesa de una distensión relajada, de la seguridad, de la distancia que infunde el respeto: la escritura puede emanar todas esas sensaciones. La mayoría no se dará cuenta, pero el efecto persiste.

Este efecto se produce, por un lado, por la forma abstracta de los caracteres: blandos, redondos, tiernos, rudos, elegantes, groseros. Y se produce también por la experiencia vital de una escritura, o por lo que se ha vivido con ella. Así, a la «gótica» (una denominación no del todo correcta, debería denominarse «letra quebrada»), un tipo de letra totalmente inocente, lleva todavía adherido, como un aire pestilente, el abuso que el nacionalsocialismo hizo de ella.

Otra cosa diferente es el sentir subjetivo. «Esta letra no me gusta, pero aquella me gusta especialmente» son argumentos irrefutables y legítimos. Pero no responden a la pregunta más importante para el diseño: ¿cumple este tipo con el objeto de la tarea?, ¿puede realizarla?

¿A quién le encargaría usted la construcción de su casa? Cuatro veces el mismo texto, cuatro veces la misma disposición tipográfica, cuatro tipos de letra diferentes y cuatro efectos distintos.

La expresión puede alterarse con un simple cambio tipográfico.

Despacho de arquitectos
Petra Schulze
Thomas Schulze

Los especialistas en la
construcción de viviendas
unifamiliares

Asesoramiento, proyecto,
financiación, dirección de obras

Teléfono: 0 12 34 – 56 78 90
Fax: 0 12 34 – 56 90 78
schulze@netsuf.de

Despacho de arquitectos
Petra Schulze
Thomas Schulze

Los especialistas en la
construcción de viviendas
unifamiliares

Asesoramiento, proyecto,
financiación, dirección de obras

Teléfono: 0 12 34 - 56 78 90
Fax: 0 12 34 - 56 90 78
schulze@netsuf.de

Despacho de arquitectos
Petra Schulze
Thomas Schulze

Los especialistas en la
construcción de viviendas
unifamiliares

Asesoramiento, proyecto,
financiación, dirección de obras

Teléfono: 0 12 34 - 56 78 90
Fax: 0 12 34 - 56 90 78
schulze@netsuf.de

Despacho de arquitectos
Petra Schulze
Thomas Schulze

Los especialistas en la
construcción de viviendas
unifamiliares

Asesoramiento, proyecto,
financiación, dirección de obras

Teléfono: 0 12 34 - 56 78 90
Fax: 0 12 34 - 56 90 78
schulze@netsuf.de

¿Qué es lo que logra el tono correcto?
Cuatro veces el mismo texto, cuatro veces el mismo tipo de letra, cuatro disposiciones tipográficas bien distintas. No sólo con el tipo de letra, también con el diseño tipográico se puede decir algo.

El pasado 30 de marzo,
a sus benditos dieciséis años, nos dejó
nuestro querido Rolf,
EL MÁS fiEL ENTRE
LOS fiELES.

De los hombres sólo recibimos
ingratitud, envidia y resentimiento.
Pero los animales no conocen la falsedad.

El 31 de marzo encontró el descanso
eterno en «pax canis».

Les rogamos que dirijan sus donaciones
al «Hogar de los Auténticos Amigos».

---

El pasado 30 de marzo, a sus benditos dieciséis años, nos dejó nuestro querido Rolf, EL MÁS fiEL ENTRE LOS fiELES. De los hombres sólo recibimos ingratitud, envidia y resentimiento. Pero los animales no conocen la falsedad. El 31 de marzo encontró el descanso eterno en «pax canis». Les rogamos que dirijan sus donaciones al «Hogar de los Auténticos Amigos».

---

El pasado 30 de marzo,
a sus benditos dieciséis
años, nos dejó nuestro

querido Rolf,
EL MÁS fiEL ENTRE LOS fiELES.

De los hombres sólo
recibimos ingratitud,
envidia y resentimiento.
Pero los animales no
conocen la falsedad.

El 31 de marzo encontró el
descanso eterno en «pax canis».

Les rogamos que dirijan sus
donaciones al «Hogar de los
Auténticos Amigos».

---

El pasado 30 de marzo,
a sus benditos dieciséis años,
nos dejó nuestro querido Rolf,
el más fiel entre los fieles.

De los hombres sólo recibimos
ingratitud, envidia y resentimiento.
Pero los animales no conocen
la falsedad.

El 31 de marzo encontró el descanso
eterno en «pax canis».
Les rogamos que dirijan sus
donaciones al «Hogar de los
Auténticos Amigos».

# Tipografía y tipo de letra

¿Por qué restaurante se decidirían? Cuatro veces el mismo menú, con tipos de letra diferentes y diseño tipográfico distinto. Los cambios son suficientes para provocar expectativas distintas, incluso sin la influencia del formato, el papel y el color.

---

*Caldo de pollo*
*Madeira*

*Salmón del Königssee*
*Graacher Thürrlay*

*Lomo de ternera con arenques de Leipzig*
*Château Poujet Cantenac*

*Langosta con salsa Ravigotte*
*Marcobrunner*

*Faisán al cava*
*Wachenheimer Dreispitz*

*Queso, fruta, café*
*Licor*

---

Caldo de pollo
Madeira

Salmón del Königssee
Graacher Thürrlay

Lomo de ternera con arenques de Leipzig
Château Poujet Cantenac

Langosta con salsa Ravigotte
Marcobrunner

Faisán al cava
Wachenheimer Dreispitz

Queso, fruta, café
Licor

---

Caldo de pollo
*Madeira*

Salmón del Königssee
*Graacher Thürrlay*

Lomo de ternera con arenques de Leipzig
*Château Poujet Cantenac*

Langosta con salsa Ravigotte
*Marcobrunner*

Faisán al cava
*Wachenheimer Dreispitz*

Queso, fruta, café
*Licor*

---

*Caldo de pollo*
*Madeira*

*Salmón del Königssee*
*Graacher Thürrlay*

*Lomo de ternera con arenques de Leipzig*
*Château Poujet Cantenac*

*Langosta con salsa Ravigotte*
*Marcobrunner*

*Faisán al cava*
*Wachenheimer Dreispitz*

*Queso, fruta, café*
*Licor*

# Diseñar textos legibles

*Parece que por una dosificación errónea de unas gotas, alguien ha fallecido. A lo mejor el motivo residía en una tipografía equivocada y de mala lectura.*

Aunque a los tipógrafos se les encargue únicamente que un texto resulte legible sobre el papel, hay que plantearse algunas preguntas previas.

La primera pregunta: **¿Quién lo leerá?** ¿Un lector avezado o un principiante?, ¿alguien que quiere leer o alguien que tiene que leer por obligación?

La segunda pregunta: **¿Cómo hay que leerlo?** ¿De un solo vistazo, o a conciencia y concentrados en el mensaje?

La tercera pregunta: **¿Cuáles son los medios tipográficos adecuados para ello?** ¿Para encender el ánimo o distanciarse objetivamente, para mover a la acción o a la contención?

La siguiente pregunta: **¿Cuál es la forma correcta de aplicar estos medios?**

En esta doble página se muestra, con algunos ejemplos reales y otros especialmente preparados, cómo un tratamiento correcto o incorrecto del tipo puede facilitar o dificultar la lectura.

Los ejemplos se centran exclusivamente en la transmisión del texto y no tienen ambiciones formales. Con todo, su contenido puede ser importante, y hay que poder leerlo bien.

Los comentarios se refieren, de momento, únicamente a la impresión de conjunto, los comentarios a los distintos puntos serán el tema principal de las páginas siguientes.

Todos los ejemplos de esta página se reproducen a tamaño original.

## Casos aislados
Las disfunciones hepáticas (colestasa intrahepática, aumento de las transaminásas), fuerte disminución de determinadas células sanguíneas (agranulocitosis), pequeños hematomas en piel y mucosas (púrpura), descamación e irritación de la piel (dermatitis exfoliante), irritación de la piel después de exposición al sol o a rayos UV (fotodermatitis), destnuyos breves como consecuencia de un flujo excesivo en la menstruación, así como, reacciones alérgicas agudas (reacciones anafilácticas) como, por ejemplo, inflamación de la piel y de las mucosidades, inflamación de la laringe (edemas de laringe), espasmos de la musculatura bronquial que pueden llegar a ser letales. Sobre todo en dosis altas, dolores musculares, temblores de los dedos, trastornos visuales. En casos singulares se observa un aumento de azúcar en sangre en los resultados analíticos. Esto debe tenerse en cuenta especialmente en pacientes diabéticos (*Diabetes mellitus*).

## Advertencia
Tras el inicio de la terapia pueden producirse trastornos circulatorios con tendencia a derrames de sangre en cambios de posición (disfunción ortostática). En los casos en los que las probabilidades de tales efectos secundarios sean elevados en la administración de una dosis inicial mayor que la recomendada, deben seguirse estrictamente las dosis recomendadas.
Si observa algún efecto secundario que no aparezca mencionado en este prospecto comuníqueselo a su médico o farmacéutico.

Informe, por favor, a su médico si está tomando otros fármacos simultáneamente.
Se han observado enfermedades musculares (miopatías) tras la combinación de fármacos derivados de inhibidores de HMG-CoA-Reductasa con inmunosupresores (fármacos para evitar el rechazo, p. ej. ciclosporina), eritromicina, determinados medicamentos para rebajar los lípidos en sangre (fibras que incluyen gemfibrocil, ácidos de nicotina), esto es, el riesgo de miopatías aumenta.

(En caso necesario, la intoxicación se tratará sintomáticam Debe hacerse regurgitar al paciente, incluso en el caso de nada. El jarabe de ipecacuanha puede resultar de gran ayu (inconsciencia), no debe provocarse el vómito en el pacien deben tomarse medidas de precaución para evitar la aspira del vómito, pueden quedar en el estómago restos del fárm que pueden absorberse.
En caso de que el vómito esté contraindicado o no se obte especialmente para niños, un suero fisiológico de sal comu también puede utilizarse agua del grifo. No obstante, a ser debe interrumpirse hasta la siguiente instilación.
Los laxantes salinicos aplazan mediante ósmosis la absorc una disolución rápida del contenido del intestino.

Todos los precios contenidos en este folleto informativo se refieren a la tarifa por persona y día a media pensión en habitaciones dobles con dos personas. Los precios del alojamiento en régimen de *self-catering* son válidos por casa y semana. Los precios incluyen impuestos. Los precios pueden variar, pero las categorías de precios que les ofrecemos les permite hacerse una idea precisa de los precios más frecuentes para los años 1998 y 1999. Todos los precios contenidos en este folleto informativo se refieren a la tarifa por persona y día a media pensión.

Un tipo de letra, ya de por sí de mala lectura, que está compuesto, además, de manera incorrecta: demasiado compacto y denso. En vez de un texto de lectura, se nos presenta un zarzo.

Las líneas son más claras, pero el tipo de letra, que de entrada ya no invita a la lectura, se ha compuesto de forma excesivamente apretada.

Este ejemplo, también un prospecto, se lee mejor que los mostrados arriba, pero tampoco es óptimo. El tipo, de un tamaño ligeramente mayor, necesita también mayor espacio entre líneas.

A pesar de la pequeñez del tipo, este texto es legible, y esta cualidad no reside únicamente en la forma del tipo, sino, sobre todo, en la manera como se ha compuesto.

El tipo, incorrecto por su estrechez (véase la pág. 26), se ha compuesto de manera equivocada: líneas demasiado largas, interlínea demasiado apretada (véase la pág. 30).

Aquí se quiere mostrar que el uso de un tipo de letra acreditado y de renombre no asegura «a priori» una buena legibilidad. Cualquiera puede hacer que un buen tipo se lea mal con una composición inadecuada.

En los dos casos, el mismo tipo de letra: la Helvetica, apreciada durante decenios, que no resulta especialmente legible en textos largos, pero que puede tener usos muy prácticos.

Y después la Garamond, con siglos de tradición, sirve de pauta para las tipografías de lectura –y aun así, una aplicación incorrecta puede malograrla–.

Éste es un texto de prueba. Sirve para apreciar muchas cuestiones relacionadas con el tipo en que está compuesto. Con un simple vistazo puede apreciarse el gris del bloque tipográfico. También puede comprobarse la legibilidad del tipo y los efectos que éste produce en el lector. Puede constatarse lo ancho o lo estrecho de su ojo. Si nos fijamos, podemos observar los caracteres aislados y sus particularidades. Cuando se comparan tipos con cierta frecuencia, pueden reconocerse y nombrarse. Naturalmente, también es importante, a la hora de determinar la legibilidad y el efecto de un tipo, el tamaño en que se com-

Éste es un texto de prueba. Sirve para apreciar muchas cuestiones relacionadas con el tipo en que está compuesto. Con un simple vistazo puede apreciarse el gris del bloque tipográfico. También puede comprobarse la legibilidad del tipo y los efectos que éste produce en el lector. Puede constatarse lo ancho o lo estrecho de su ojo. Si nos fijamos, podemos observar los caracteres aislados y sus particularidades. Cuando se comparan tipos con cierta frecuencia, pueden reconocerse y nombrarse. Naturalmente, también es importante, a la hora de determinar la legibilidad y el efecto de un tipo, el tamaño en que

Éste es un texto de prueba. Sirve para apreciar muchas cuestiones relacionadas con el tipo en que está compuesto. Con un simple vistazo puede apreciarse el gris del bloque tipográfico. También puede comprobarse la legibilidad del tipo y los efectos que éste produce en el lector. Puede constatarse lo ancho o lo estrecho de su ojo. Si nos fijamos, podemos observar los caracteres aislados y sus particularidades. Cuando se comparan tipos con cierta frecuencia, pueden reconocerse y nombrarse. Naturalmente, también es importante, a la hora de determinar la legibilidad y el efecto de un tipo, el tamaño en que se compone, cómo se estructura la tipografía y sobre qué se imprime. Esto es un

Éste es un texto de prueba. Sirve para apreciar muchas cuestiones relacionadas con el tipo en que está compuesto. Con un simple vistazo puede apreciarse el gris del bloque tipográfico. También puede comprobarse la legibilidad del tipo y los efectos que éste produce en el lector. Puede constatarse lo ancho o lo estrecho de su ojo. Si nos fijamos, podemos observar los caracteres aislados y sus particularidades. Cuando se comparan tipos con cierta frecuencia, pueden reconocerse y nombrarse. Naturalmente, también es importante, a la hora de determinar la legibilidad y el efecto de un tipo, el tamaño en que se compone, cómo se estructura la tipografía y so-

El ejemplo muestra cómo una mala composición puede hacer que la Helvetica resulte difícilmente legible.
La imagen tipográfica general resulta demasiado espesa y produce un efecto manchado; la vista se enreda como en un gancho. El motivo: los caracteres están demasiado apretados, las palabras demasiado separadas, y las líneas demasiado juntas.

De nuevo, la Helvetica. Con una composición adecuada se obtiene una buena legibilidad. La imagen tipográfica es serena y el lector puede seguir con la vista las líneas. La distancia entre letras, palabras y líneas está proporcionada.

Aunque la Garamond se considera indestructible, es posible componerla de modo que resulte ilegible. La imagen tipográfica general aparece demasiado abierta, la vista navega por la superficie en lugar de poder seguir el rumbo de las líneas.
Tampoco en este caso el texto respeta los espacios entre letras, palabras y líneas.

Otra vez la Garamond, pero esta vez compuesta correctamente. Las palabras son aprehensibles como unidades y las líneas guían la vista.

En las páginas 29-31, se explicarán de manera más precisa las relaciones a las que nos hemos referido aquí.

**Una g no es una g no es una g**

*Pruébenlo con sus amistades: ¿Cuántos tipos de letra diferentes reconocen? Sorprende la atrofia visual respecto a los tipos que sufrimos la mayoría de nosotros.*

Nuestros tipos tienen aspectos muy distintos, aunque la mayoría de las veces no percibimos las diferencias. Si podemos leer el mensaje, ¿para qué preocuparnos del mensajero?

Sin embargo, vale la pena observar la gran variedad del carácter, de los tipos. Nuestro mundo será más rico si aprendemos a distinguir qué establece con nosotros una «comunicación no verbal».

Una de las dificultades para establecer las diferencias es que no se puede confiar en los nombres de las letras. Por ejemplo, los tres tipos que siguen se denominan Bodoni, pero su apariencia es muy distinta entre sí.

# Bodoni
# Bodoni
# Bodoni

Por otro lado, algunos tipos se presentan con más de un nombre. Así, la Optima se llama también Octavo o Zapf Humanist, y a la Univers se la conocía también como Galaxy.

Tipos con trazos (casi) iguales y sin remates (patitas): tipo lineal sin remates o «palo seco».

# a b c d    A B C D R

Tipos con trazos de pluma ancha, pequeñas diferencias en el grosor de los trazos y con remates: romana renacentista y barroca.

a b c d    A B C D R

Tipos con trazos de pluma fina. Fuerte contraste entre trazos finos y gruesos, acentuación de los verticales, remates finos: romana neoclásica.

a b c d    A B C D R

Tipos con trazos de gruesos regulares y fuertes remates: lineal Antigua con remates acentuados o «egipcia».

**a b c d**    **A B C D R**

A todos estos tipos hay que añadirles, como familia, sus respectivas cursivas.

*a b c d*    *A B C D R*

La seminegra

**a b c d**    **A B C D R**

y negra,

**a b c d**    **A B C D R**

tipos finos,

a b c d    A B C D R

estrechos,

a b c d    A B C D R

anchos,

a b c d    A B C D R

de escritura

*a b c d*    *A B C D R*

y muchos otros.

**12 tipos: comparativa de legibilidad**

*Comprando en el extranjero.
Las formas de las palabras no
nos son familiares, tampoco
sabemos cómo se pronuncian
–y ¡ay de nosotros si también
confundimos los caracteres!*

Para comprobar la legibilidad
mostramos las mismas líneas
en cuerpos pequeños.

Ildefonso inhaló el adorno de magnolias

Ildefonso inhaló el adorno de magnolias

Ildefonso inhaló el adorno de magnolias

Ildefonso inhaló el adorno de magnolias

Ildefonso inhaló el adorno de magnolias

Ildefonso inhaló el adorno de magnolias

Ildefonso inhaló el adorno de magnolias

Ildefonso inhaló el adorno de magnolias

Ildefonso inhaló el adorno de magnolias

Ildefonso inhaló el adorno de magnolias

Ildefonso inhaló el adorno de magnolias

Ildefonso inhaló el adorno de magnolias

Ildefonso inhaló el adorno de magnolias

Ildefonso inhaló el adorno de magnolias

Ildefonso inhaló el adorno de magnolias

Ildefonso inhaló el adorno de magnolias

Ildefonso inhaló el adorno de magnolias

Ildefonso inhaló el adorno de magnolias

Ildefonso inhaló el adorno de magnolias

Ildefonso inhaló el adorno de magnolias

Ildefonso inhaló el adorno de magnolia

Ildefonso inhaló el adorno de magnolias

Ildefonso inhaló el adorno de magnolias

Ildefonso inhaló el adorno de magnolias

La comparación en combinaciones críticas de caracteres confirma la regla práctica:

La letra de forma sencilla no es la de mejor legilibidad, sino la que resulta más inconfundible.

Adquieren especial importancia los problemas de diferenciación en escritos fotocopiados o recibidos a través de fax, o en rótulos de señalización en la niebla.

Las dos páginas siguientes, muestran una serie de composiciones con los tipos presentados aquí.

| | Riesgo de confusión | Riesgo de confluencia | Proporciones | Similitud |
|---|---|---|---|---|
| Avant Garde | ll muy grande | rn grande | hn confusas | adg grande |
| Futura | ll grande | rn grande | hn claras | adg grande |
| Helvetica | ll muy grande | rn grande | hn confusas | adg poca |
| Frutiger | ll grande | rn grande | hn confusas | adg poca |
| Gill | ll muy grande | rn poco | hn claras | adg distinta |
| Officina Sans | Il ninguno | rn poco | hn muy claras | adg poca |
| Bodoni | Il grande | rn ninguno | hn muy claras | adg distinta |
| Times | Il ninguno | rn ninguno | hn claras | adg distinta |
| Garamond | Il ninguno | rn ninguno | hn claras | adg distinta |
| Palatino | Il ninguno | rn ninguno | hn claras | adg distinta |
| Excelsior | Il ninguno | rn ninguno | hn claras | adg distinta |
| Rockwell | Il grande | rn grande | hn claras | adg poca |

# 12 tipos: comparativa de legibilidad

Esto no es un consejo para que sólo se empleen los tipos que aquí se muestran y se desestimen todos los demás. Al contrario: lo que se pretende es incentivar el uso crítico de la variedad de tipos de que se dispone actualmente.

**1**

Éste es un texto de prueba. Sirve para apreciar muchas cuestiones relacionadas con el tipo en que está compuesto. Con un simple vistazo puede apreciarse el gris del bloque tipográfico. También puede comprobarse la legibilidad del tipo y los efectos que éste produce en el lector. Puede constatarse lo ancho o lo estrecho de su ojo. Si nos fijamos, podemos observar los caracteres aislados y sus parti-

**2**

Éste es un texto de prueba. Sirve para apreciar muchas cuestiones relacionadas con el tipo en que está compuesto. Con un simple vistazo puede apreciarse el gris del bloque tipográfico. También puede comprobarse la legibilidad del tipo y los efectos que éste produce en el lector. Puede constatarse lo ancho o lo estrecho de su ojo. Si nos fijamos, podemos observar los caracteres aislados y sus particularidades. Cuando se comparan tipos con cierta frecuencia, pueden reconocerse y

**1 Avant Garde**
No resulta adecuada para textos largos, pero sí para palabras aisladas, especialmente en mayúsculas.

**2 Futura**
Bien proporcionada, con problemas en las imágenes de palabras. Tan sólo los expertos tipógrafos pueden manejarla correctamente. Los caracteres geométricamente redondos no se integran en la imagen de palabra y la t impone un alto en la lectura.

## gatea

**3**

Éste es un texto de prueba. Sirve para apreciar muchas cuestiones relacionadas con el tipo en que está compuesto. Con un simple vistazo puede apreciarse el gris del bloque tipográfico. También puede comprobarse la legibilidad del tipo y los efectos que éste produce en el lector. Puede constatarse lo ancho o lo estrecho de su ojo. Si nos fijamos, podemos observar los caracteres aislados y sus particularidades. Cuando se comparan tipos con cierta frecuencia, pueden reco-

**4**

Éste es un texto de prueba. Sirve para apreciar muchas cuestiones relacionadas con el tipo en que está compuesto. Con un simple vistazo puede apreciarse el gris del bloque tipográfico. También puede comprobarse la legibilidad del tipo y los efectos que éste produce en el lector. Puede constatarse lo ancho o lo estrecho de su ojo. Si nos fijamos, podemos observar los caracteres aislados y sus particularidades. Cuando se comparan tipos con cierta frecuencia, pueden reco-

**3 Helvetica**
Reconocida mundialmente, pero no necesariamente de buena legibilidad. Resulta adecuada para textos cortos, pero en los más extensos y con líneas largas, el «efecto de enrejado» frena el fluir de la lectura.

**4 Gill**
Una de las letras palo seco sin remates de mayor legibilidad. Formas claras y un trazado de línea óptimo. Aunque, por otra parte, es un tanto tosca.

## gatea

**5**

Éste es un texto de prueba. Sirve para apreciar muchas cuestiones relacionadas con el tipo en que está compuesto. Con un simple vistazo puede apreciarse el gris del bloque tipográfico. También puede comprobarse la legibilidad del tipo y los efectos que éste produce en el lector. Puede constatarse lo ancho o lo estrecho de su ojo. Si nos fijamos, podemos observar los caracteres aislados y sus particularidades. Cuando se comparan tipos con cierta frecuencia, pueden reconocerse y

**6**

Éste es un texto de prueba. Sirve para apreciar muchas cuestiones relacionadas con el tipo en que está compuesto. Con un simple vistazo puede apreciarse el gris del bloque tipográfico. También puede comprobarse la legibilidad del tipo y los efectos que éste produce en el lector. Puede constatarse lo ancho o lo estrecho de su ojo. Si nos fijamos, podemos observar los caracteres aislados y sus particularidades. Cuando se comparan tipos con cierta frecuencia, pueden reconocerse y

**5 Frutiger**
Una palo seco de buena legibilidad, pulida y madura.

**6 Officina Sans**
Una palo seco con remates, es decir, allí donde hay riesgo de confusión. Resistente y con una legibilidad bastante buena.

Los comentarios no son indicaciones seguras. Algunos
tipográfos son capaces de
utilizar tipos legibles de
manera ilegible, y a la inversa.

**7**

Éste es un texto de prueba. Sirve para apreciar muchas cuestiones relacionadas con el tipo en que está compuesto. Con un simple vistazo puede apreciarse el gris del bloque tipográfico. También puede comprobarse la legibilidad del tipo y los efectos que éste produce en el lector. Puede constatarse lo ancho o lo estrecho de su ojo. Si nos fijamos, podemos observar los caracteres aislados y sus particularidades. Cuando se comparan tipos con cierta frecuencia, pueden recono-

**8**

Éste es un texto de prueba. Sirve para apreciar muchas cuestiones relacionadas con el tipo en que está compuesto. Con un simple vistazo puede apreciarse el gris del bloque tipográfico. También puede comprobarse la legibilidad del tipo y los efectos que éste produce en el lector. Puede constatarse lo ancho o lo estrecho de su ojo. Si nos fijamos, podemos observar los caracteres aislados y sus particula-ridades. Cuando se comparan tipos con cierta frecuencia, pueden

**7 Bodoni**
Un caso difícil. Una romana famosa y de gran belleza, con formas de letras claras, pero con un trazo de línea muy duro. Dominan los rasgos verticales, por lo que el tipo requiere un interlineado generoso.

**8 Times**
Uno de los tipos de efecto neutro que ha gozado de mayor uso y crédito en el siglo xx.

**9**

Éste es un texto de prueba. Sirve para apreciar muchas cuestiones relacionadas con el tipo en que está compuesto. Con un simple vistazo puede apreciarse el gris del bloque tipográfico. También puede comprobarse la legibilidad del tipo y los efectos que éste produce en el lector. Puede constatarse lo ancho o lo estrecho de su ojo. Si nos fijamos, podemos observar los caracteres aislados y sus particulari-dades. Cuando se comparan tipos con cierta frecuencia, pueden reco-

**10**

Éste es un texto de prueba. Sirve para apreciar muchas cuestiones relacionadas con el tipo en que está compuesto. Con un simple vistazo puede apreciarse el gris del bloque tipográfico. También puede comprobarse la legibilidad del tipo y los efectos que éste produce en el lector. Puede constatarse lo ancho o lo estrecho de su ojo. Si nos fijamos, podemos observar los .caracteres aislados y sus particula-ridades. Cuando se comparan tipos con cierta frecuencia, pueden reco-

**9 Garamond**
Uno de los tipos más utiliza-dos y acreditados en aplica-ciones literarias. No obstante, algu-nas de sus numerosas versiones no llegan a cumplir su cometido. Para textos extensos, la ITC-Garamond es la menos indicada.

**10 Palatino**
Un tipo de los años cincuenta de buena legibilidad. Se apre-cia muy bien que proviene de la escritura con la pluma ancha, de la que deriva su elegancia caligráfica.

**11**

Éste es un texto de prueba. Sirve para apreciar muchas cuestiones relacionadas con el tipo en que está compuesto. Con un simple vistazo puede apreciarse el gris del bloque tipográfico. También puede comprobarse la legibilidad del tipo y los efectos que éste produce en el lector. Puede constatarse lo ancho o lo estrecho de su ojo. Si nos fijamos, podemos observar los caracteres aislados y sus parti-

**12**

Éste es un texto de prueba. Sirve para apreciar muchas cuestiones relacionadas con el tipo en que está compuesto. Con un simple vistazo puede apreciarse el gris del bloque tipográfico. También puede comprobarse la legibi-lidad del tipo y los efectos que éste produce en el lector. Puede constatarse lo ancho o lo estrecho de su ojo. Si nos fijamos, podemos observar los caracteres aislados y sus particu-laridades. Cuando se comparan

**11 Excelsior**
Un tipo prácticamente indes-tructible que puede incluso hacer frente a una mala impre-sión. Un tipo de periódico con un aire un tanto burocrático.

**12 Rockwell fina**
Un tipo con fuertes remates que contribuyen a construir la línea pero que aportan una cierta dureza. Su manejo no es del todo fácil.

# 24 Combinados de tipos

Estos ejemplos pretenden despertar la sensibilidad del lector, y no dar instrucciones respecto a lo que es «correcto» y lo que no. Por ello, no indicamos los nombres de las letras.

**E**l buceador Cousteau, el St-Exupéry del mar y sus habitantes, es también una criatura marina, un ser fulgurante, contoneante, liberado del agua salada, un pulpo dúctil. La prosa clásica de este deportista atrae a las multitudes, fascinadas por las aletas y las máscaras de submarinismo, hacia las profundidades en una aventura estética y atlética. Ante todo, una experiencia inspiradora, al menos para los espíritus dotados de fantasía. A través de las lentes de aumento de las gafas de submarinismo, las carpas tienen el mismo aspecto que los devoradores de hombres, los tiburones; bañados

Ésta es una combinación de tipos totalmente prohibida: la cursiva renacentista con una capitular necoclásica. Algo así infringe todas las reglas conocidas. Un virtuoso de la tipografía, como Alexey Brodovitch, puede permitírselo; aunque difícilmente un tipógrafo corriente. (El ejemplo está reducido al 62 %.)

El motivo por el que estos dos tipos no se devoran el uno al otro es la diferencia de tamaño. Cuanto mayor es el contraste entre tamaños y grosores, menos importantes resultan las cuestiones estilísticas.

Este tipo no quiere tener nada que ver con su capitular. Impera una fría extrañeza.

Un tipo con remates y un capitular palo seco –y aun así se soportan–. El motivo: el origen estilístico común.

Aquí se mantiene una distante frialdad. Ambos tipos fingen no conocerse.

Una relación confusa. Similares y también diferentes: ambas partes salen perjudicadas.

Esto no puede salir bien; son demasiado extraños entre sí. Con todo, el intenso contraste entre la fuerza del trazo suaviza la relación.

**L**a capitular es mayor, la letra de texto menor. Con todo, ambas deben convivir. Éste es un texto de prueba. Sirve para apreciar muchas cuestiones relacionadas con el tipo en que está compuesto. Con un simple vistazo puede apreciarse el gris del bloque tipográfico.

**L**a capitular es mayor, la letra de texto menor. Con todo, ambas deben convivir. Éste es un texto de prueba. Sirve para apreciar muchas cuestiones relacionadas con el tipo en que está compuesto. Con un simple vistazo puede apreciarse el gris del bloque tipográfico.

**L**a capitular es mayor, la letra de texto menor. Con todo, ambas deben convivir. Éste es un texto de prueba. Sirve para apreciar muchas cuestiones relacionadas con el tipo en que está compuesto. Con un simple vistazo puede apreciarse el gris del bloque tipográfico.

**L**a capitular es mayor, la letra de texto menor. Con todo, ambas deben convivir. Éste es un texto de prueba. Sirve para apreciar muchas cuestiones relacionadas con el tipo en que está compuesto. Con un simple vistazo puede apreciarse el gris del

**L**a capitular es mayor, la letra de texto menor. Con todo, ambas deben convivir. Éste es un texto de prueba. Sirve para apreciar muchas cuestiones relacionadas con el tipo en que está compuesto. Con un simple vistazo puede apreciarse el gris del

La prueba en el ejemplo: seis muestras de combinaciones tipográficas compatibles y menos compatibles.

La combinación de tipos no es un campo en el que puedan darse recetas infalibles, sino que es algo que llega a dominarse con un gusto tipográfico refinado y el conocimiento de los tipos. Algunos tipógrafos virtuosos y atrevidos se permiten mezclas que sus colegas de inclinaciones más tradicionales rechazarían horrorizados.

Sin embargo, si nos centramos en las características del trazado de los caracteres, podemos dar por seguras algunas cuestiones.

## Refrigeradores
## Refrigeradores

Aunque uno de los tipos tiene remates y el otro no, ambos tienen algo en común: sus caracteres se mantienen firmes como soldados, unos junto a otros.

## Refrigeradores
## Refrigeradores

Los caracteres de estos dos tipos, aparentemente muy diferentes, parecen querer desplazarse de izquierda a derecha.

## Refrigeradores

Este tipo no tiene ningún antiguo predecesor. Fue diseñado en el siglo xx y se combina, a la vez que contrasta, con todos y ninguno.

## Refrigeradores
## Refrigeradores
## Refrigeradores

Hay tipos con remates fuertes, pero a pesar de esta característica común su estilo es distinto. Los tres tipos-muestra pueden asignarse a los grupos descritos más arriba.

Dos tipos «estáticos» que armonizan entre sí: para el titulillo en línea, la Helvetica, y la Walbaum como tipo para el texto.

Dos tipos «dinámicos», la Garamond y la Gill, también armonizan entre sí.

Un contraejemplo: la Gill empuja hacia la derecha y topa con la Bodoni, un tipo estático. El resultado es inarmónico.

La Helvetica y la Garamond son extrañas una respecto a la otra, no tienen un trazado de caracteres común, y su contraste no es claro.

La Futura, un tipo construido, lleva una vida decididamente ajena a la Bodoni. Las diferencias resultan patentes.

La Futura proporciona también un contraste respecto a la Garamond. Sin embargo, el encuentro no resulta excesivamente convincente.

**Titulillo en línea** Éste es un texto de prueba. Sirve para apreciar muchas cuestiones relacionadas con el tipo en que está compuesto. Con un simple vistazo puede apreciarse el gris del bloque tipográfico. También puede comprobarse la legibilidad del tipo y los efectos que éste produce en el

**Titulillo en línea** Éste es un texto de prueba. Sirve para apreciar muchas cuestiones relacionadas con el tipo en que está compuesto. Con un simple vistazo puede apreciarse el gris del bloque tipográfico. También puede comprobarse la legibilidad del tipo y los efectos que éste produce en el lector. Puede

**Titulillo en línea** Éste es un texto de prueba. Sirve para apreciar muchas cuestiones relacionadas con el tipo en que está compuesto. Con un simple vistazo puede apreciarse el gris del bloque tipográfico. También puede comprobarse la legibilidad del tipo y los efectos que éste produce en el lector. Puede

**Titulillo en línea** Éste es un texto de prueba. Sirve para apreciar muchas cuestiones relacionadas con el tipo en que está compuesto. Con un simple vistazo puede apreciarse el gris del bloque tipográfico. También puede comprobarse la legibilidad del tipo y los efectos que éste produce en el lector. Puede

**Titulillo en línea** Éste es un texto de prueba. Sirve para apreciar muchas cuestiones relacionadas con el tipo en que está compuesto. Con un simple vistazo puede apreciarse el gris del bloque tipográfico. También puede comprobarse la legibilidad del tipo y los efectos que éste produce en el lector. Puede constatarse lo

**Titulillo en línea** Éste es un texto de prueba. Sirve para apreciar muchas cuestiones relacionadas con el tipo en que está compuesto. Con un simple vistazo puede apreciarse el gris del bloque tipográfico. También puede comprobarse la legibilidad del tipo y los efectos que éste produce en el lector. Puede

**La lectura de tipos estrechos**

Los tipos estrechos constituyen un recurso habitual porque, incluso en espacios reducidos, pueden usarse tamaños bastante grandes. Lo que queda por saber es si eso beneficia siempre la legibilidad del texto.

Una muestra de ello sería el ejemplo de la página 16 (abajo), que deja claro que las líneas largas y los tipos estrechos no son buenos compañeros.

somníferos

Este bloque es la zona intermedia de una palabra compuesta en Akzidenz-Grotesk estrecha.

somníferos

En tipos estrechos, la información que nos proporciona sólo una parte de la figura no resulta suficiente para determinar de qué letras se trata; en estos casos, la imagen de la palabra debe analizarse.

Esto perjudica la legibilidad de una composición seguida, así como la posibilidad de reconocer las palabras individualmente.

somníferos

La misma zona intermedia de Akzidenz-Grotesk, pero esta vez en redonda.

somníferos

En tipos de proporciones normales, todas las partes de cada letra dan información sobre su pertenencia. Esto contribuye a la legibilidad.

Éste es un texto de prueba. Sirve para apreciar muchas cuestiones relacionadas con el tipo en que está compuesto. Con un simple vistazo puede apreciarse el gris del bloque tipográfico. También puede comprobarse la legibilidad del tipo y los efectos que éste produce en el lector. Puede constatarse lo ancho o lo estrecho de su ojo. Si nos fijamos, podemos observar los caracteres aislados y sus particularidades. Cuando se comparan tipos con cierta fre-

Éste es un texto de prueba. Sirve para apreciar muchas cuestiones relacionadas con el tipo en que está compuesto. Con un simple vistazo puede apreciarse el gris del bloque tipográfico. También puede comprobarse la legibilidad del tipo y los efectos que éste produce en el lector. Puede constatarse lo ancho o lo estrecho de su ojo. Si nos fijamos, podemos observar los caracteres aislados y sus particularidades. Cuando se comparan tipos con cierta frecuencia, pueden reconocerse y

En la práctica, los tipos estrechos se utilizan normalmente en composiciones en bloque. Pero este caso no escapa a la regla general: composición en columna estrecha = composición en bandera.

La superficie viene dada y para el tipo de letra, la Akzidenz-Grotesk estrecha, se ha elegido un cuerpo grande por lo que debe estar condensada al máximo. Todo ello no favorece la legibilidad.

El mismo texto compuesto en Frutiger estrecha. No resulta tan apretada como la Akzidenz-Grotesk utilizada en el ejemplo de arriba. Con los mismos requisitos de espacio tiene que reducirse su cuerpo, lo cual, sin embargo, no perjudica la legibilidad.

Éste es un texto de prueba. Sirve para apreciar muchas cuestiones relacionadas con el tipo en que está compuesto. Con un simple vistazo puede apreciarse el gris del bloque tipográfico. También puede comprobarse la legibilidad del tipo y los efectos que éste produce en el lector. Puede constatarse lo ancho o lo estrecho de su ojo. Si nos fijamos, podemos observar los caracteres aislados y sus particularidades. Cuando se comparan tipos con cierta frecuencia, pueden

Éste es un texto de prueba. Sirve para apreciar muchas cuestiones relacionadas con el tipo en que está compuesto. Con un simple vistazo puede apreciarse el gris del bloque tipográfico. También puede comprobarse la legibilidad del tipo y los efectos que éste produce en el lector. Puede constatarse lo ancho o lo estrecho de su ojo. Si nos fijamos, podemos observar los caracteres aislados y sus particularidades. Cuando se comparan tipos con cierta frecuencia, pueden reconocerse y nombrarse.

De nuevo el mismo texto con la misma superficie, esta vez compuesto con Thesis Sans. El cuerpo de la letra debe reducirse considerablemente, por lo que el interlineado parece mayor. Esto favorece la legibilidad.

Para comparar, reproducimos un texto idéntico compuesto en esta ocasión con Weidemann, una romana especialmente estrecha que, aun así, resulta sorprendentemente legible.

# ¡Prohibido distorsionar!

La técnica de composición lo permite: todos pueden condensar o ensanchar los tipos a su antojo, pero eso constituye una ingerencia en la esencia de un tipo de letra.

No distorsionen las letras; no las hagan sufrir.

# Dodecaedro

La Helvetica estrecha. El realizador del tipo ha equilibrado cuidadosamente sus proporciones y el peso de los trazos, en línea con el concepto del que surge toda la familia Helvetica.

# Dodecaedro

Cuanto más se estrecha una letra, más se deforman sus formas y proporciones, que con tanto esmero y cuidado se trabajaron en su momento.

# Dodecaedro

La Helvetica, estrechada artificialmente por un usuario. Los trazos verticales quedan más finos, mientras que los horizontales conservan su grosor, de modo que su peso parece excesivo. La figura de la palabra queda, así, falseada.

# Dodecaedro

Como lo mostró Adrian Frutiger, es como si se alargara la *Mona Lisa*. No sólo las distorsiones extremas, sino también modificaciones mínimas, perjudican al tipo.

Éste es un texto de prueba. Sirve para apreciar muchas cuestiones relacionadas con el tipo en que está compuesto. Con un simple vistazo puede apreciarse el gris del bloque tipográfico. También puede comprobarse la legibilidad del tipo y los efectos que éste produce en el lector. Puede constatarse lo ancho o lo estrecho de su ojo. Si nos fijamos, podemos observar los caracteres aislados y sus particularidades. Cuando se comparan tipos con cierta frecuencia, pueden reconocerse y nombrarse. Naturalmente, también es

Éste es un texto de prueba. Sirve para apreciar muchas cuestiones relacionadas con el tipo en que está compuesto. Con un simple vistazo puede apreciarse el gris del bloque tipográfico. También puede comprobarse la legibilidad del tipo y los efectos que éste produce en el lector. Puede constatarse lo ancho o lo estrecho de su ojo. Si nos fijamos, podemos observar los caracteres aislados y sus particularidades. Cuando se comparan tipos con cierta frecuencia, pueden reconocerse y nombrarse. Naturalmente, también es

De nuevo la Helvetica estrecha, con el aspecto final que le dio el diseñador.

La Helvetica otra vez, ahora estrechada por medios electrónicos.

Mientras que en cuerpos grandes puede «verse» lo que provoca la distorsión, en cuerpos pequeños sólo se intuye vagamente.

Éste es un texto de prueba. Sirve para apreciar muchas cuestiones relacionadas con el tipo en que está compuesto. Con un simple vistazo puede apreciarse el gris del bloque tipográfico. También puede comprobarse la legibilidad del tipo y los efectos que éste produce en el lector. Puede constatarse lo ancho o lo estrecho de su ojo. Si nos fijamos, podemos observar los caracteres aislados y sus particularidades. Cuando se comparan tipos con cierta frecuencia, pueden reconocerse y nombrarse.

Éste es un texto de prueba. Sirve para apreciar muchas cuestiones relacionadas con el tipo en que está compuesto. Con un simple vistazo puede apreciarse el gris del bloque tipográfico. También puede comprobarse la legibilidad del tipo y los efectos que éste produce en el lector. Puede constatarse lo ancho o lo estrecho de su ojo. Si nos fijamos, podemos observar los caracteres aislados y sus particularidades. Cuando se comparan tipos con cierta frecuencia, pueden reconocerse y nombrarse. Naturalmente, también es importante, a la hora de determinar la legibilidad y el efecto de un tipo, el tamaño

En este segundo ejemplo se muestra, arriba, la Concorde Nova, una versión compacta que economiza espacio diseñada en 1975 por G. G. Lange para la familia Concorde. Abajo, la Concorde normal estrechada con medios electrónicos.

Los principiantes quizás no puedan apreciar a primera vista la diferencia entre los bloques de texto superior e inferior. Es una cuestión de sensibilidad. También le sabrá mejor una *pizza* en su restaurante italiano preferido que recién sacada del frigorífico. Puede degustar la diferencia aunque no sepa decir a qué ingredientes es debida.

# La cámara de los horrores

*Hojeo una revista y leo:
«Manifestación en Bema»
¿Y dónde está eso? Conozco
Birmania, ¿pero esta palabra
tiene algo que ver con ella?*

*Un tipo palo seco estrecho,
reproducido con una trama,
hace que mi mente confunda
la geografía y traslade Berna
a Asia. (El cuerpo del delito
aparece reproducido a conti-
nuación).*

### Profesión y familia

**Pregunta: Al finalizar la carrera, todos los lectores tie-
nen clara la respuesta; cuando se busca trabajo,
la empresa tiene la sartén por el mango. Pero me han ha-
blado de un caso en el que el contrato se supeditaba a
que el aspirante se mudase con su familia a las proximi-
dades del lugar de trabajo. El candidato vivía a unos
80 km, y desde hacía años recorría en tren el mismo tra-
yecto. Hasta aquí ningún problema. ¿Pero resulta habitual esta exigencia, o es excesiva? ¿Cuál es la distancia
y la consecuente inversión de tiempo que puede conside-**

«Manifestación en Bema»
¿Y dónde está eso? Conozco

Este espectáculo de horror
demuestra que muchos de los
que trabajan con tipos no se
avienen a los principios funda-
mentales de la tipografía.

Los requisitos técnicos para
una tipografía legible son los
siguientes:
– Elección del tipo correcto
  (página 20).
– Elección del tipo de
  composición correcto.
– La relación de las letras
  entre sí (véase la página
  de la derecha).
– La relación de las palabras
  de una línea entre sí
  (página 30).
– La relación entre los espacios
  entre palabras y el espacio
  entre líneas (página 30).
– La relación entre el cuerpo
  de la letra y el espacio entre
  líneas (página 31).
– La relación entre el ancho
  de la caja y el espacio entre
  líneas (página 31).

De esta relación se desprenden
numerosos temas que no
pueden ser tratados en estos
«primeros auxilios».

*Punto* está abierto todos los
días (excepto domingos) de
8:30 a 18 h (a partir del 2
de mayo hasta las 22 h); los domingos y festivos desde las
11 h hasta las 18 h (a partir
del 2 de mayo hasta las 8
de la tarde). Pueden reservar
sus entradas por teléfono desde las 10 h llamando al servicio

la posibilidad de imprimir notas (aunque de momento
todavía no en estéreo) con una impresora conectada a
un ordenador.
Aunque las empresas más importantes consideraban en
un           principio           las           posibilidades
de aplicación más como una ampliación de la Apple, el
concepto ha demostrado ser muy convincente al

# Sin miedo al hombre del saco

### Una mujer lucha para que la respeten como deshollinadora

Hace nueve años que Brigitta Rudolf se sube a
los tejados de la gente. Como profesión y
«como diversión», dice ella.

Con el reno Rudolf tirando del trineo en los tejados, y se alegra por ello. Si hubiese seguido
los pasos de su padre.

*Maqueta del Museo de
Bellas Artes de Houston
(EE UU). Mies van der Rohe
proyectó el ala nueva (la
parte izquierda de la
imagen) que debía seguir
con el clasicismo del edificio.
La piedra fundacional se
colocó en octubre de 1971.*

**Fotografía: W. Swan**

por una diferencia mínima de tan
sólo un punto (puntos conce-
didos desde 1830), el número

### Titulares

La moda de la fotocomposición de los años sesenta: todo muy compacto. La imagen de la palabra queda manchada.

La influencia de la informática: nos acostumbramos (¿demasiado?) a imágenes de palabra anchas y abiertas.

Al estilo de los noventa: espaciado forzado. Se pierde (a sabiendas) la imagen de la palabra.

Un corecto espaciado entre letras, sin manchas ni agujeros.

### Cuerpos de lectura

Un espaciado entre letras demasiado apretado.
La imagen de conjunto resulta intranquila y manchada.

Un espaciado entre letras bien equilibrado. La imagen de la palabra es tranquila y ayuda a la lectura.

### Los títulos del texto

Los cuerpos de más de 14 o 16 puntos (dependiendo de los tipos) deben componerse con un espaciado entre letras menor. Si se mantiene el «normal», da la impresión de que las letras están separadas. El espaciado entre palabras también debe reducirse.

### Cuerpos de letra de consulta

Cuando hay que utilizar cuerpos muy pequeños, el espacio entre letras debe ampliarse.

Arriba: un tipo de 6 puntos con la anchura de las letras sin modificar. La imagen de las palabras resulta demasiado compacta.

Abajo: el mismo tipo con un interletrado ligeramente más abierto. El texto gana en legibilidad.

# Interletrado

# Interletrado

# Interletrado

# Interletrado

Éste es un texto de prueba. Sirve para apreciar muchas cuestiones relacionadas con el tipo en el que está compuesto. Con un simple vistazo puede apreciarse el gris del bloque tipográfico. También puede comprobarse la legibilidad del tipo y los efectos que

Éste es un texto de prueba. Sirve para apreciar muchas cuestiones relacionadas con el tipo en el que está compuesto. Con un simple vistazo puede apreciarse el gris del bloque tipográfico. También puede comprobarse la legibilidad del tipo y los

La diferenciación del espaciado entre las letras es una de las finezas de la composición. A esto debería atreverse sólo quien conoce el oficio al dedillo.

## Espaciado entre letras en tipos a partir de 14 puntos

## Espaciado entre letras en tipos a partir de 14 puntos

Éste es un texto de prueba. Sirve para apreciar muchas cuestiones relacionadas con el tipo en que está compuesto. Con un simple vistazo puede apreciarse el gris del bloque tipográfico. También puede comprobarse la legibilidad del tipo y los efectos que éste produce en el lector. Puede constatarse lo ancho o lo estrecho de su ojo. Si nos fijamos, podemos observar los caracteres aislados y sus particularidades. Cuando se comparan tipos con cierta frecuencia, pueden reconocerse y nombrarse. Naturalmente, también es importante, a la hora

Éste es un texto de prueba. Sirve para apreciar muchas cuestiones relacionadas con el tipo en que está compuesto. Con un simple vistazo puede apreciarse el gris del bloque tipográfico. También puede comprobarse la legibilidad del tipo y los efectos que éste produce en el lector. Puede constatarse lo ancho o lo estrecho de su ojo. Si nos fijamos, podemos observar los caracteres aislados y sus particularidades. Cuando se comparan tipos con cierta frecuencia, pueden reconocerse y nombrarse. Naturalmente, también

La legibilidad de textos con varias líneas está influida por la relación entre los espacios entre palabras y el interlineado.

Las palabras de una misma línea deben mantener una separación clara entre sí. Al mismo tiempo, hay que evitar que la vista se desvíe hacia una línea equivocada. Nuestra vista no está preparada para seguir líneas horizontales, sino para percibir a la vez una superficie mayor. Por ello, la tipografía debe ayudar en este aspecto.

Regla práctica: el espacio entre palabras debe ser claramente menor que el interlineado.

Los tipógrafos neófitos suelen argüir que los tipos de cuerpo mayor son más legibles. Sin embargo, no es el tamaño lo decisivo, sino la relación del interlineado con la longitud de la línea. En líneas largas o muy largas, el interlineado se hace cada vez más importante. Él conduce la vista de vuelta al comienzo de la línea siguiente.

Líneas muy largas en un cuerpo de letra grande sin interlínea. El camino de vuelta desde el final de una línea hasta el principio de la siguiente se ve dificultado.

Un tipo pequeño con un interlineado amplio. El camino de vuelta resulta más fácil para la vista.

Espacios entre palabras demasiado amplios. La vista no se mantiene en la línea.

Espacio insuficiente entre palabras. Las imágenes de las palabras no están claramente separadas unas de otras.

Líneas bien mesuradas. La vista y el cerebro se mantienen concentrados en el contenido.

El espacio entre palabras es excesivo. En composiciones con letras negritas, los blancos en las líneas resultan especialmente visibles.

El espacio «normal» entre palabras se ha reducido ligeramente, lo que facilita la configuración de las líneas.

Cuando se tiene que incluir mucho texto se acostumbra a utilizar un cuerpo de letras lo más grande posible y compuesto con un interlineado mínimo.

El mismo texto con la misma interlínea pero un cuerpo $1^1/_2$ puntos más pequeño se lee mejor.

Éste es un texto de prueba. Sirve para apreciar muchas cuestiones relacionadas con el tipo en que está compuesto. Con un simple vistazo puede apreciarse el gris del bloque tipográfico. También

Éste es un texto de prueba. Sirve para apreciar muchas cuestiones relacionadas con el tipo en que está compuesto. Con un simple vistazo puede apreciarse el gris del bloque tipográfico. También puede comprobarse la

Éste es un texto de prueba. Sirve para apreciar muchas cuestiones relacionadas con el tipo en que está compuesto. Con un simple vistazo puede apreciarse el gris del bloque tipográfico. También puede com-

**Éste es un texto de prueba. Sirve para apreciar muchas cuestiones relacionadas con el tipo en que está compuesto. Con un simple vistazo puede apreciarse el gris del bloque tipográfico.**

**Éste es un texto de prueba. Sirve para apreciar muchas cuestiones relacionadas con el tipo en que está compuesto. Con un simple vistazo puede apreciarse el gris del bloque tipográfico. Tam-**

Éste es un texto de prueba. Sirve para apreciar muchas cuestiones relacionadas con el tipo en que está compuesto. Con un simple vistazo puede apreciarse el gris

Éste es un texto de prueba. Sirve para apreciar muchas cuestiones relacionadas con el tipo en que está compuesto. Con un simple vistazo puede apreciarse el gris del bloque

**Éste es un texto de prueba. Sirve para apreciar muchas cuestiones relacionadas con el tipo en que está compuesto. Con un simple vistazo puede apreciarse el gris del bloque tipográfico. También puede compro-**

**Éste es un texto de prueba. Sirve para apreciar muchas cuestiones relacionadas con el tipo en que está compuesto. Con un simple vistazo puede apreciarse el gris del bloque tipográfico. También puede comprobarse la legibilidad del tipo y los efectos que éste produce en el lector. Puede constatarse lo ancho o lo estrecho de su ojo. Si nos fijamos, podemos observar los**

# Interlineado y ancho de caja

*¿Le ha pasado a usted también?*
*Leer un poco antes de dormir.*
*final de línea, principio de línea.*
*¡Pero si esto ya lo he leído!*
*Cuando esto me ocurre tres*
*veces seguidas, cierro el libro.*
*Un interlineado insuficiente*
*puede erigirse en muralla*
*entre autor y lector.*

3 x el mismo tipo
3 x anchos de caja distintos
3 x interlíneas diferentes

Con estos ejemplos queda patente que no puede decirse «tal tipo requiere un interlineado de 4,75 mm», porque también depende de la longitud de la línea. Para los ejemplos, se ha utilizado un tipo especialmente delicado; sus trazos gruesos señalan verticalmente hacia la línea siguiente. Es función del interlineado que la vista se quede en la línea de texto.

Cuanto mayor sea la longitud de la línea, mayor debe ser también el interlineado. En cambio, cuanto más corta sea la línea, menor puede ser el interlineado.

Éste es un texto de prueba. Sirve para apreciar muchas cuestiones relacionadas con el tipo en que está compuesto. Con un simple vistazo puede apreciarse el gris del bloque tipográfico. También puede comprobarse la legibilidad del tipo y los efectos que éste produce en el

Éste es un texto de prueba. Sirve para apreciar muchas cuestiones relacionadas con el tipo en que está compuesto. Con un simple vistazo puede apreciarse el gris del bloque tipográfico. También puede comprobarse la legibilidad del tipo y los efectos que éste produce en el

Éste es un texto de prueba. Sirve para apreciar muchas cuestiones relacionadas con el tipo en que está compuesto. Con un simple vistazo puede apreciarse el gris del bloque tipográfico. También puede comprobarse la legibilidad del tipo y los efectos que éste produce en el

Éste es un texto de prueba. Sirve para apreciar muchas cuestiones relacionadas con el tipo en que está compuesto. Con un simple vistazo puede apreciarse el gris del bloque tipográfico. También puede comprobarse la legibilidad del tipo y los efectos que éste produce en el lector. Puede constatarse lo ancho o lo estrecho de su ojo. Si nos fijamos, podemos observar los caracteres aislados y sus particularidades. Cuando se com-

Éste es un texto de prueba. Sirve para apreciar muchas cuestiones relacionadas con el tipo en que está compuesto. Con un simple vistazo puede apreciarse el gris del bloque tipográfico. También puede comprobarse la legibilidad del tipo y los efectos que éste produce en el lector. Puede constatarse lo ancho o lo estrecho de su ojo. Si nos fijamos, podemos observar los caracteres aislados y sus particularidades. Cuando se com-

Éste es un texto de prueba. Sirve para apreciar muchas cuestiones relacionadas con el tipo en que está compuesto. Con un simple vistazo puede apreciarse el gris del bloque tipográfico. También puede comprobarse la legibilidad del tipo y los efectos que éste produce en el lector. Puede constatarse lo ancho o lo estrecho de su ojo. Si nos fijamos, podemos observar los caracteres aislados y sus particularidades. Cuando se com-

Éste es un texto de prueba. Sirve para apreciar muchas cuestiones relacionadas con el tipo en que está compuesto. Con un

Éste es un texto de prueba. Sirve para apreciar muchas cuestiones relacionadas con el tipo en que está compuesto. Con un

Éste es un texto de prueba. Sirve para apreciar muchas cuestiones relacionadas con el tipo en que está compuesto. Con un

# El papel y la lectura

*El papel utilizado para el libro de salmos evangélicos bávaro se cortó en la dirección incorrecta de la fibra. Una organista dijo: «No está tan mal. Cuando las hojas han dejado de crujir, sé que la gente ha encontrado la canción y puedo empezar».*

*El maestro dice: «¡Ya os habéis vuelto a pasar toda la tarde mirando la tele!» Lo que sucede, sencillamente, es que el sol y el papel brillante del libro escolar son los culpables de todo este desorden.*

El papel, al contrario que el tipo y la tipografía, no puede ser representado. De manera que hay que explicarlo verbalmente; de ahí que haya tanto texto en esta página.

### Algunos datos sobre el papel

El papel de impresión es una materia compleja.
Algunas de sus características son las siguientes:
– Puede no contener fibras de madera, en cuyo caso se compone de celulosa.
– Puede contener madera, o sea, estar compuesto de fibra de madera.
– Puede ser más o menos traslúcido (ser transparente, o bien ser opaco).
– Puede ser de tonalidades distintas.
– Tiene pesos diferentes (desde 25 g/m² hasta 170 g/m²; si el peso es mayor, se habla de cartulinas y cartones).
– Puede tener más o menos volumen, esto es, contener más o menos aire.

Papel natural
– Se compone únicamente de la mezcla de sus fibras, con pocos aditivos.
Su superficie puede ser:
– rugosa,
– algo más suave (alisado mecánicamente), o
– lisa (satinada).

Papeles estucados
– Se le da un acabado con una capa fina de la sustancias minerales pastosas; puede ser:
– papel *offset* pigmentado
– papel cuché.

Todas estas propiedades influyen sobre el carácter de un impreso.

Algunas características son especialmente importantes para el diseño.

El papel es *higroscópico*, esto es, absorbe la humedad del aire y la vuelve a expulsar, por lo que su volumen se dilata y vuelve a encogerse. En el caso de una hoja suelta, esto no tiene importancia, pero sí la tiene en el caso de folletos y libros.

En el papel hay una *dirección de la fibra*. En la fabricación, la pasta de papel se vierte sobre un gran colador que se mueve a gran velocidad. Por eso las fibras se disponen todas en una misma dirección, la dirección de la fibra.

Dirección correcta.
Las fibras de papel van paralelas al lomo del libro.

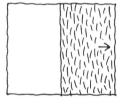

Dirección incorrecta.
Las fibras de papel quedan perpendiculares al lomo del libro.

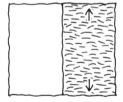

Las líneas delgadas marcan la posición de fibras y las flechas la dirección en la que se extienden.

En la dirección de fibra correcta, el papel tiene libertad para extenderse en el sentido de las flechas. En el caso opuesto, el papel tiende a ensancharse hacia arriba y hacia abajo, pero no puede porque se encuentra encolado al lomo del volumen. Al no poder doblarse o plegarse en sentido contrario a la fibra, se ondula y arruga.

### Coloración, superficie y lectura

Los folletos de automóviles, de joyas o de inversiones financieras nos llegan repletos de brillos, mientras que en los libros especializados sobre medicina, óptica o arte se prima la fidelidad cromática. En este caso, se emplean papeles blancos con superficies alisadas y posiblemente brillantes.
Pero cuando se trata de que se lea un mensaje, imperan otros criterios: es el caso de un plano, del texto de una cajetilla, de una octavilla o de las notas de una tesis doctoral (por no hablar del propio libro). Regla práctica: el papel muy blanco (que en realidad está tintado de azul) eclipsa un tipo de un negro intenso, y esto perjudica la legibilidad. Cuando las reproducciones requieren un papel muy blanco, no deben utilizarse letras con un marcado contraste entre trazos gruesos y finos, y hay que evitar letras muy finas.

Lo mejor, en términos de legibilidad, es un papel con una superficie mate y un blanco ligeramente roto. El uso de papeles con tonos marfil o de un amarillo claro no encuentra justificación en la cuestión de la legibilidad, sino en razones estéticas.

El intento de suavizar el eclipsante contraste entre la tonalidad del papel y la letra imprimiéndola en un tono sepia, o similar, conduce fácilmente a un resultado un tanto descolorido con el que no se mejora la legibilidad.

Independientemente de la coloración, el papel con superficie lisa y brillante tiende a actuar de «espejo», lo cual resulta perjudicial para la lectura.

Por lo general, los tipos impresos sobre papel reciclado se leen cómodamente, pero hay que cuidar de no imprimirlos con una intensidad demasiado leve ni excesivamente fuerte.

Cuando se usan papeles de colores pastel o de tonalidades intensas, se recomienda hacer antes unas pruebas de impresión para poder determinar qué tipos pueden soportar la combinación de colores.

En términos de legibilidad, resulta esencial la transparencia del papel. En papeles con poca opacidad, puede verse lo que hay impreso en el dorso o en la página siguiente, lo cual puede producir un efecto muy molesto. En este caso, la tipografía debe prepararse acorde con ello, para que las líneas del anverso y del reverso de una hoja coincidan; es lo que se llama «mantener el registro».

En las páginas siguientes, se muestra el efecto que surten algunos tipos sobre papeles con superficies y colores distintos.

# 8 tipos sobre 4 papeles

De Palo seco y Egipcia sobre papel de fotocopia extra blanco

La **Frutiger** –como la mayoría de los tipos sin remates– se adecua estilísticamente muy bien a papeles blancos y satinados, aunque al mismo tiempo queda bien sobre otras superficies.

Éste es un texto de prueba. Sirve para apreciar muchas cuestiones relacionadas con el tipo en que está compuesto. Con un simple vistazo puede apreciarse el gris del bloque tipográfico. También puede comprobarse la legibilidad del tipo y los efectos que éste produce en el lector. Puede constatarse lo ancho o lo estrecho de su ojo. Si nos fijamos, podemos observar los caracteres aislados y sus particularidades. Cuando se comparan tipos con cierta frecuencia, pueden reconocerse y nombrarse. Naturalmente, también es importante, a la hora de determinar la legibilidad y el efecto de un tipo, el tamaño en que se compone, cómo se estructura la tipografía y sobre qué se imprime. Éste es un texto de prueba. Sirve para apreciar muchas cues-

Tipos más negros, como puede ser la **Helvetica seminegra**, aparecen como una cinta sobre papeles de colores ligeramente rotos, mientras que con los blanqueados empiezan a destellear. Los blancos del interior de las letras se activan, lo cual puede tener encantos estéticos, pero no es ninguna ayuda para la legibilidad.

**Éste es un texto de prueba. Sirve para apreciar muchas cuestiones relacionadas con el tipo en que está compuesto. Con un simple vistazo puede apreciarse el gris del bloque tipográfico. También puede comprobarse la legibilidad del tipo y los efectos que éste produce en el lector. Puede constatarse lo ancho o lo estrecho de su ojo. Si nos fijamos, podemos observar los caracteres aislados y sus particularidades. Cuando se comparan tipos con cierta frecuencia, pueden reconocerse y nombrarse. Naturalmente, también es importante, a la hora de determinar la legibilidad y el efecto de un tipo, el tamaño en que se compone, cómo se estructura la tipografía y sobre qué se imprime. Éste es un texto de**

El ejemplo de la **News Gothic**, estrecha y fina, muestra que incluso un tipo palo seco legible puede verse en apuros si es demasiado fino. El papel blanco resplandece sobre los cuerpos de letra delicados.

Éste es un texto de prueba. Sirve para apreciar muchas cuestiones relacionadas con el tipo en que está compuesto. Con un simple vistazo puede apreciarse el gris del bloque tipográfico. También puede comprobarse la legibilidad del tipo y los efectos que éste produce en el lector. Puede constatarse lo ancho o lo estrecho de su ojo. Si nos fijamos, podemos observar los caracteres aislados y sus particularidades. Cuando se comparan tipos con cierta frecuencia, pueden reconocerse y nombrarse. Naturalmente, también es importante, a la hora de determinar la legibilidad y el efecto de un tipo, el tamaño en que se compone, cómo se estructura la tipografía y sobre qué se imprime. Éste es un texto de prueba. Sirve para apreciar muchas cuestiones relacionadas con el tipo en que está com-

Los tipos con remates fuertes como **TheSerif** son, por lo general, también muy resistentes por lo que respecta al papel. Pero incluso en este caso, persiste el peligro de que los tipos finos queden eclipsados por el blanco del papel, mientras que en el caso de tipos en negrita es muy fácil que se produzcan manchas.

Éste es un texto de prueba. Sirve para apreciar muchas cuestiones relacionadas con el tipo en que está compuesto. Con un simple vistazo puede apreciarse el gris del bloque tipográfico. También puede comprobarse la legibilidad del tipo y los efectos que éste produce en el lector. Puede constatarse lo ancho o lo estrecho de su ojo. Si nos fijamos, podemos observar los caracteres aislados y sus particularidades. Cuando se comparan tipos con cierta frecuencia, pueden reconocerse y nombrarse. Naturalmente, también es importante, a la hora de determinar la legibilidad y el efecto de un tipo, el tamaño en que se compone, cómo se estructura la tipografía y sobre qué se imprime. Éste es un texto de prueba. Sirve para apreciar muchas

La Romana sobre papel de fotocopia extra blanco

Cuando se imprime una **Bodoni** sobre este papel muy blanco (en realidad un tanto azulado), apenas puede apreciarse su belleza. Centellea a la vista porque el contraste entre trazos gruesos y finos se acentúa en exceso y resulta difícil leer porque el blanco del papel devora el negro de las líneas finas.

Éste es un texto de prueba. Sirve para apreciar muchas cuestiones relacionadas con el tipo en que está compuesto. Con un simple vistazo puede apreciarse el gris del bloque tipográfico. También puede comprobarse la legibilidad del tipo y los efectos que éste produce en el lector. Puede constatarse lo ancho o lo estrecho de su ojo. Si nos fijamos, podemos observar los caracteres aislados y sus particularidades. Cuando se comparan tipos con cierta frecuencia, pueden reconocerse y nombrarse. Naturalmente, también es importante, a la hora de determinar la legibilidad y el efecto de un tipo, el tamaño en que se compone, cómo se estructura la tipografía y sobre qué se imprime. Éste es un texto de prueba. Sirve para apreciar muchas cuestiones relacionadas con el tipo en que

En el caso de la **Garamond**, los papeles blanqueados tienen un efecto menor, porque el contraste entre trazos no es tan intenso. Sin embargo, resulta evidente que tampoco se encuentra precisamente cómoda en este tipo de entorno.

Éste es un texto de prueba. Sirve para apreciar muchas cuestiones relacionadas con el tipo en que está compuesto. Con un simple vistazo puede apreciarse el gris del bloque tipográfico. También puede comprobarse la legibilidad del tipo y los efectos que éste produce en el lector. Puede constatarse lo ancho o lo estrecho de su ojo. Si nos fijamos, podemos observar los caracteres aislados y sus particularidades. Cuando se comparan tipos con cierta frecuencia, pueden reconocerse y nombrarse. Naturalmente, también es importante, a la hora de determinar la legibilidad y el efecto de un tipo, el tamaño en que se compone, cómo se estructura la tipografía y sobre qué se imprime. Éste es un texto de prueba. Sirve para apreciar muchas cuestiones relacionadas con el tipo en que

La **Times** no es tan resistente como podría hacernos creer su buena fama. Sobre un papel muy blanco y brillante, resulta a menudo inquietante y produce un efecto manchado. El hecho es que se diseñó especialmente para la impresión sobre papel de periódico.

Éste es un texto de prueba. Sirve para apreciar muchas cuestiones relacionadas con el tipo en que está compuesto. Con un simple vistazo puede apreciarse el gris del bloque tipográfico. También puede comprobarse la legibilidad del tipo y los efectos que éste produce en el lector. Puede constatarse lo ancho o lo estrecho de su ojo. Si nos fijamos, podemos observar los caracteres aislados y sus particularidades. Cuando se comparan tipos con cierta frecuencia, pueden reconocerse y nombrarse. Naturalmente, también es importante, a la hora de determinar la legibilidad y el efecto de un tipo, el tamaño en que se compone, cómo se estructura la tipografía y sobre qué se imprime. Éste es un texto de prueba. Sirve para apreciar muchas cuestiones relacionadas con el

En la **Schneidler** el trazo de las letras es muy uniforme, esto la reviste de cierta resistencia ante el deslumbramiento del papel muy blanco o brillante.

Éste es un texto de prueba. Sirve para apreciar muchas cuestiones relacionadas con el tipo en que está compuesto. Con un simple vistazo puede apreciarse el gris del bloque tipográfico. También puede comprobarse la legibilidad del tipo y los efectos que éste produce en el lector. Puede constatarse lo ancho o lo estrecho de su ojo. Si nos fijamos, podemos observar los caracteres aislados y sus particularidades. Cuando se comparan tipos con cierta frecuencia, pueden reconocerse y nombrarse. Naturalmente, también es importante, a la hora de determinar la legibilidad y el efecto de un tipo, el tamaño en que se compone, cómo se estructura la tipografía y sobre qué se imprime. Éste es un texto de prueba. Sirve para apreciar muchas cuestiones relacionadas con el tipo en

En este papel de edición, de un tono ahuesado y con una superficie un tanto rugosa, la **Bodoni** se siente como en casa, y produce una sensación de tranquilidad que favorece la legibilidad y su delicado carácter.

Éste es un texto de prueba. Sirve para apreciar muchas cuestiones relacionadas con el tipo en que está compuesto. Con un simple vistazo puede apreciarse el gris del bloque tipográfico. También puede comprobarse la legibilidad del tipo y los efectos que éste produce en el lector. Puede constatarse lo ancho o lo estrecho de su ojo. Si nos fijamos, podemos observar los caracteres aislados y sus particularidades. Cuando se comparan tipos con cierta frecuencia, pueden reconocerse y nombrarse. Naturalmente, también es importante, a la hora de determinar la legibilidad y el efecto de un tipo, el tamaño en que se compone, cómo se estructura la tipografía y sobre qué se imprime. Éste es un texto de prueba. Sirve para apreciar muchas cuestiones relacionadas con el tipo en que

Por su tono roto y su superficie agradable al tacto, el papel de edición es el adecuado para la **Garamond**. En el momento de su creación, a mediados del siglo XVI, se imprimía sobre papel de trapo, el cual posee unas cualidades lejanamente comparables.

Éste es un texto de prueba. Sirve para apreciar muchas cuestiones relacionadas con el tipo en que está compuesto. Con un simple vistazo puede apreciarse el gris del bloque tipográfico. También puede comprobarse la legibilidad del tipo y los efectos que éste produce en el lector. Puede constatarse lo ancho o lo estrecho de su ojo. Si nos fijamos, podemos observar los caracteres aislados y sus particularidades. Cuando se comparan tipos con cierta frecuencia, pueden reconocerse y nombrarse. Naturalmente, también es importante, a la hora de determinar la legibilidad y el efecto de un tipo, el tamaño en que se compone, cómo se estructura la tipografía y sobre qué se imprime. Éste es un texto de prueba. Sirve para apreciar muchas cuestiones relacionadas con el tipo en que

Sobre un papel de edición, la **Times** se erige tranquila y legible. Las formas de las letras parecen relacionarse mejor con este papel que con los demás que se han escogido para la comparación. Esto se debe a que este tipo fue diseñado para la impresión de periódicos.

Éste es un texto de prueba. Sirve para apreciar muchas cuestiones relacionadas con el tipo en que está compuesto. Con un simple vistazo puede apreciarse el gris del bloque tipográfico. También puede comprobarse la legibilidad del tipo y los efectos que éste produce en el lector. Puede constatarse lo ancho o lo estrecho de su ojo. Si nos fijamos, podemos observar los caracteres aislados y sus particularidades. Cuando se comparan tipos con cierta frecuencia, pueden reconocerse y nombrarse. Naturalmente, también es importante, a la hora de determinar la legibilidad y el efecto de un tipo, el tamaño en que se compone, cómo se estructura la tipografía y sobre qué se imprime. Éste es un texto de prueba. Sirve para apreciar muchas cuestiones relacionadas con el

La **Schneidler** no se deja someter por ningún papel, pero en este caso tiene un aspecto especialmente coherente.

Éste es un texto de prueba. Sirve para apreciar muchas cuestiones relacionadas con el tipo en que está compuesto. Con un simple vistazo puede apreciarse el gris del bloque tipográfico. También puede comprobarse la legibilidad del tipo y los efectos que éste produce en el lector. Puede constatarse lo ancho o lo estrecho de su ojo. Si nos fijamos, podemos observar los caracteres aislados y sus particularidades. Cuando se comparan tipos con cierta frecuencia, pueden reconocerse y nombrarse. Naturalmente, también es importante, a la hora de determinar la legibilidad y el efecto de un tipo, el tamaño en que se compone, cómo se estructura la tipografía y sobre qué se imprime. Éste es un texto de prueba. Sirve para apreciar muchas cuestiones relacionadas con el tipo en

### De Palo seco y Egipcia sobre papel de edición

El papel de edición, con un color ligeramente roto y una superficie un tanto rugosa, recibe bien a todas las letras, también a la **Frutiger**, que tampoco se deja aturdir por papeles completamente distintos.

Éste es un texto de prueba. Sirve para apreciar muchas cuestiones relacionadas con el tipo en que está compuesto. Con un simple vistazo puede apreciarse el gris del bloque tipográfico. También puede comprobarse la legibilidad del tipo y los efectos que éste produce en el lector. Puede constatarse lo ancho o lo estrecho de su ojo. Si nos fijamos, podemos observar los caracteres aislados y sus particularidades. Cuando se comparan tipos con cierta frecuencia, pueden reconocerse y nombrarse. Naturalmente, también es importante, a la hora de determinar la legibilidad y el efecto de un tipo, el tamaño en que se compone, cómo se estructura la tipografía y sobre qué se imprime. Éste es un texto de prueba. Sirve para apreciar muchas cues-

Cuando el contraste blanco-negro queda suavizado por la tonalidad del papel, desaparece el peligro de que se produzcan manchas en el uso de la **Helvetica seminegra**; sus líneas se transforman en agradables cintas.

**Éste es un texto de prueba. Sirve para apreciar muchas cuestiones relacionadas con el tipo en que está compuesto. Con un simple vistazo puede apreciarse el gris del bloque tipográfico. También puede comprobarse la legibilidad del tipo y los efectos que éste produce en el lector. Puede constatarse lo ancho o lo estrecho de su ojo. Si nos fijamos, podemos observar los caracteres aislados y sus particularidades. Cuando se comparan tipos con cierta frecuencia, pueden reconocerse y nombrarse. Naturalmente, también es importante, a la hora de determinar la legibilidad y el efecto de un tipo, el tamaño en que se compone, cómo se estructura la tipografía y sobre qué se imprime. Éste es un texto de**

El peligro de vibración queda desterrado cuando no se permite que el blanco del papel deslumbre la delicada figura de la **News Gothic** fina.

Éste es un texto de prueba. Sirve para apreciar muchas cuestiones relacionadas con el tipo en que está compuesto. Con un simple vistazo puede apreciarse el gris del bloque tipográfico. También puede comprobarse la legibilidad del tipo y los efectos que éste produce en el lector. Puede constatarse lo ancho o lo estrecho de su ojo. Si nos fijamos, podemos observar los caracteres aislados y sus particularidades. Cuando se comparan tipos con cierta frecuencia, pueden reconocerse y nombrarse. Naturalmente, también es importante, a la hora de determinar la legibilidad y el efecto de un tipo, el tamaño en que se compone, cómo se estructura la tipografía y sobre qué se imprime. Éste es un texto de prueba. Sirve para apreciar muchas cuestiones relacionadas con el tipo en que está com-

También la **TheSerif** resulta fácil de leer sin esfuerzos ni confusiones sobre el papel de edición. Lo mismo sucedería con sus familiares egipcias más o menos negras o más o menos finas.

Éste es un texto de prueba. Sirve para apreciar muchas cuestiones relacionadas con el tipo en que está compuesto. Con un simple vistazo puede apreciarse el gris del bloque tipográfico. También puede comprobarse la legibilidad del tipo y los efectos que éste produce en el lector. Puede constatarse lo ancho o lo estrecho de su ojo. Si nos fijamos, podemos observar los caracteres aislados y sus particularidades. Cuando se comparan tipos con cierta frecuencia, pueden reconocerse y nombrarse. Naturalmente, también es importante, a la hora de determinar la legibilidad y el efecto de un tipo, el tamaño en que se compone, cómo se estructura la tipografía y sobre qué se imprime. Éste es un texto de prueba. Sirve para apreciar muchas

## 8 tipos sobre 4 papeles
De Palo seco y Egipcia sobre papel cuché brillante

Cuando hay que escoger un papel cuché muy blanco y brillante, por un interés en la luminosidad o en la precisión de las ilustraciones, la elección del tipo exige un cuidado especial.

Contra un tipo de palo seco sólido con trazos de fuerza normal como la **Frutiger** y sus numerosas familias, el brillo de este papel cuché no puede hacer mucho, y menos todavía un papel cuché mate.

Éste es un texto de prueba. Sirve para apreciar muchas cuestiones relacionadas con el tipo en que está compuesto. Con un simple vistazo puede apreciarse el gris del bloque tipográfico. También puede comprobarse la legibilidad del tipo y los efectos que éste produce en el lector. Puede constatarse lo ancho o lo estrecho de su ojo. Si nos fijamos, podemos observar los caracteres aislados y sus particularidades. Cuando se comparan tipos con cierta frecuencia, pueden reconocerse y nombrarse. Naturalmente, también es importante, a la hora de determinar la legibilidad y el efecto de un tipo, el tamaño en que se compone, cómo se estructura la tipografía y sobre qué se imprime. Éste es un texto de prueba. Sirve para apreciar muchas cues-

También sobre un papel cuché brillante, la **Helvetica seminegra** corre el peligro de producir manchas debido al fuerte contraste que se crea, con lo que resulta muy poco legible; con todo, el peligro no es tan grave como en el caso de papeles muy blancos.

**Éste es un texto de prueba. Sirve para apreciar muchas cuestiones relacionadas con el tipo en que está compuesto. Con un simple vistazo puede apreciarse el gris del bloque tipográfico. También puede comprobarse la legibilidad del tipo y los efectos que éste produce en el lector. Puede constatarse lo ancho o lo estrecho de su ojo. Si nos fijamos, podemos observar los caracteres aislados y sus particularidades. Cuando se comparan tipos con cierta frecuencia, pueden reconocerse y nombrarse. Naturalmente, también es importante, a la hora de determinar la legibilidad y el efecto de un tipo, el tamaño en que se compone, cómo se estructura la tipografía y sobre qué se imprime. Éste es un texto de**

Hay que ir con cuidado, porque tipos finos y estrechos, como la **News Gothic**, pueden verse eclipsados no sólo por los papeles muy blancos, sino también por las superficies brillantes.

Éste es un texto de prueba. Sirve para apreciar muchas cuestiones relacionadas con el tipo en que está compuesto. Con un simple vistazo puede apreciarse el gris del bloque tipográfico. También puede comprobarse la legibilidad del tipo y los efectos que éste produce en el lector. Puede constatarse lo ancho o lo estrecho de su ojo. Si nos fijamos, podemos observar los caracteres aislados y sus particularidades. Cuando se comparan tipos con cierta frecuencia, pueden reconocerse y nombrarse. Naturalmente, también es importante, a la hora de determinar la legibilidad y el efecto de un tipo, el tamaño en que se compone, cómo se estructura la tipografía y sobre qué se imprime. Éste es un texto de prueba. Sirve para apreciar muchas cuestiones relacionadas con el tipo en que está com-

La egipcia **TheSerif**, regular y equilibrada, no necesita preocuparse en exceso por el brillo de la superficie del papel, puesto que es suficientemente estable.

Éste es un texto de prueba. Sirve para apreciar muchas cuestiones relacionadas con el tipo en que está compuesto. Con un simple vistazo puede apreciarse el gris del bloque tipográfico. También puede comprobarse la legibilidad del tipo y los efectos que éste produce en el lector. Puede constatarse lo ancho o lo estrecho de su ojo. Si nos fijamos, podemos observar los caracteres aislados y sus particularidades. Cuando se comparan tipos con cierta frecuencia, pueden reconocerse y nombrarse. Naturalmente, también es importante, a la hora de determinar la legibilidad y el efecto de un tipo, el tamaño en que se compone, cómo se estructura la tipografía y sobre qué se imprime. Éste es un texto de prueba. Sirve para apreciar muchas

La Romana sobre papel cuché brillante

A la **Bodoni** no le sienta bien el papel cuché brillante. Sobre una superficie como ésta, sus trazos finos parecen todavía más finos de lo que son y se acentúa sobremanera el grosor de los trazos verticales. Nadie debería someterla a algo así. En un papel cuché mate el resultado sería algo mejor, aunque tampoco muy bueno.

Éste es un texto de prueba. Sirve para apreciar muchas cuestiones relacionadas con el tipo en que está compuesto. Con un simple vistazo puede apreciarse el gris del bloque tipográfico. También puede comprobarse la legibilidad del tipo y los efectos que éste produce en el lector. Puede constatarse lo ancho o lo estrecho de su ojo. Si nos fijamos, podemos observar los caracteres aislados y sus particularidades. Cuando se comparan tipos con cierta frecuencia, pueden reconocerse y nombrarse. Naturalmente, también es importante, a la hora de determinar la legibilidad y el efecto de un tipo, el tamaño en que se compone, cómo se estructura la tipografía y sobre qué se imprime. Éste es un texto de prueba. Sirve para apreciar muchas cuestiones relacionadas con el tipo en que

La **Garamond** tiene una relación un tanto distante con este papel cuché, cuya superficie se ha revestido con una «capa» mineral. No obstante, conserva la calma y la naturaleza legible de su carácter.

Éste es un texto de prueba. Sirve para apreciar muchas cuestiones relacionadas con el tipo en que está compuesto. Con un simple vistazo puede apreciarse el gris del bloque tipográfico. También puede comprobarse la legibilidad del tipo y los efectos que éste produce en el lector. Puede constatarse lo ancho o lo estrecho de su ojo. Si nos fijamos, podemos observar los caracteres aislados y sus particularidades. Cuando se comparan tipos con cierta frecuencia, pueden reconocerse y nombrarse. Naturalmente, también es importante, a la hora de determinar la legibilidad y el efecto de un tipo, el tamaño en que se compone, cómo se estructura la tipografía y sobre qué se imprime. Éste es un texto de prueba. Sirve para apreciar muchas cuestiones relacionadas con el tipo en que

La **Times** no consigue mantener intacta su tranquilidad en un papel cuché, sino que aparece inquieta en la superficie brillante y lisa del papel. Aun cuando el blanco de este tipo de papel está ligeramente roto, los contrastes del blanco interior de los caracteres resultan demasiado pronunciados.

Éste es un texto de prueba. Sirve para apreciar muchas cuestiones relacionadas con el tipo en que está compuesto. Con un simple vistazo puede apreciarse el gris del bloque tipográfico. También puede comprobarse la legibilidad del tipo y los efectos que éste produce en el lector. Puede constatarse lo ancho o lo estrecho de su ojo. Si nos fijamos, podemos observar los caracteres aislados y sus particularidades. Cuando se comparan tipos con cierta frecuencia, pueden reconocerse y nombrarse. Naturalmente, también es importante, a la hora de determinar la legibilidad y el efecto de un tipo, el tamaño en que se compone, cómo se estructura la tipografía y sobre qué se imprime. Éste es un texto de prueba. Sirve para apreciar muchas cuestiones relacionadas con el

Sobre este papel cuché brillante, la **Schneidler** parece incluso más fina de lo que ya es de por sí. Su legibilidad apenas se ve afectada por ello.

Éste es un texto de prueba. Sirve para apreciar muchas cuestiones relacionadas con el tipo en que está compuesto. Con un simple vistazo puede apreciarse el gris del bloque tipográfico. También puede comprobarse la legibilidad del tipo y los efectos que éste produce en el lector. Puede constatarse lo ancho o lo estrecho de su ojo. Si nos fijamos, podemos observar los caracteres aislados y sus particularidades. Cuando se comparan tipos con cierta frecuencia, pueden reconocerse y nombrarse. Naturalmente, también es importante, a la hora de determinar la legibilidad y el efecto de un tipo, el tamaño en que se compone, cómo se estructura la tipografía y sobre qué se imprime. Éste es un texto de prueba. Sirve para apreciar muchas cuestiones relacionadas con el tipo en

## 8 tipos sobre 4 papeles



La Romana sobre papel *offset* pigmentado de un blanco roto

Con este papel *offset*, con una superficie ligeramente estucada, la **Bodoni** se lleva muy bien. El propio Giambattista Bodoni exigía papeles con una superficie lisa para que sus letras pudiesen imprimirse con la mayor precisión posible.

Éste es un texto de prueba. Sirve para apreciar muchas cuestiones relacionadas con el tipo en que está compuesto. Con un simple vistazo puede apreciarse el gris del bloque tipográfico. También puede comprobarse la legibilidad del tipo y los efectos que éste produce en el lector. Puede constatarse lo ancho o lo estrecho de su ojo. Si nos fijamos, podemos observar los caracteres aislados y sus particularidades. Cuando se comparan tipos con cierta frecuencia, pueden reconocerse y nombrarse. Naturalmente, también es importante, a la hora de determinar la legibilidad y el efecto de un tipo, el tamaño en que se compone, cómo se estructura la tipografía y sobre qué se imprime. Éste es un texto de prueba. Sirve para apreciar muchas cuestiones relacionadas con el tipo en que

En el papel *offset* pigmentado (el de este libro), la **Garamond** resulta idónea, si bien le convendría una superficie algo más rugosa.

Éste es un texto de prueba. Sirve para apreciar muchas cuestiones relacionadas con el tipo en que está compuesto. Con un simple vistazo puede apreciarse el gris del bloque tipográfico. También puede comprobarse la legibilidad del tipo y los efectos que éste produce en el lector. Puede constatarse lo ancho o lo estrecho de su ojo. Si nos fijamos, podemos observar los caracteres aislados y sus particularidades. Cuando se comparan tipos con cierta frecuencia, pueden reconocerse y nombrarse. Naturalmente, también es importante, a la hora de determinar la legibilidad y el efecto de un tipo, el tamaño en que se compone, cómo se estructura la tipografía y sobre qué se imprime. Éste es un texto de prueba. Sirve para apreciar muchas cuestiones relacionadas con el tipo en que

En este papel, la **Times** ratifica su famosa resistencia como tipo para textos.

Éste es un texto de prueba. Sirve para apreciar muchas cuestiones relacionadas con el tipo en que está compuesto. Con un simple vistazo puede apreciarse el gris del bloque tipográfico. También puede comprobarse la legibilidad del tipo y los efectos que éste produce en el lector. Puede constatarse lo ancho o lo estrecho de su ojo. Si nos fijamos, podemos observar los caracteres aislados y sus particularidades. Cuando se comparan tipos con cierta frecuencia, pueden reconocerse y nombrarse. Naturalmente, también es importante, a la hora de determinar la legibilidad y el efecto de un tipo, el tamaño en que se compone, cómo se estructura la tipografía y sobre qué se imprime. Éste es un texto de prueba. Sirve para apreciar muchas cuestiones relacionadas con el

Tampoco la **Schneidler** encuentra dificultad alguna en un papel *offset* como éste.

Éste es un texto de prueba. Sirve para apreciar muchas cuestiones relacionadas con el tipo en que está compuesto. Con un simple vistazo puede apreciarse el gris del bloque tipográfico. También puede comprobarse la legibilidad del tipo y los efectos que éste produce en el lector. Puede constatarse lo ancho o lo estrecho de su ojo. Si nos fijamos, podemos observar los caracteres aislados y sus particularidades. Cuando se comparan tipos con cierta frecuencia, pueden reconocerse y nombrarse. Naturalmente, también es importante, a la hora de determinar la legibilidad y el efecto de un tipo, el tamaño en que se compone, cómo se estructura la tipografía y sobre qué se imprime. Éste es un texto de prueba. Sirve para apreciar muchas cuestiones relacionadas con el tipo en

**8 tipos sobre 4 papeles**
De Palo seco y Egipcia sobre papel *offset* pigmentado de un blanco roto

Sobre un papel *offset*, con una superficie ligeramente estucada, todos los tipos, con o sin remates, quedan precisos y bien legibles, suponiendo que el papel no sea demasiado blanco.

Cuando la imagen y el tipo tienen la misma importancia, los papeles *offset* pigmentados son la mejor elección.

Si lo más importante es la calidad de las ilustraciones, el papel cuché (más caro) con superficies mates o brillantes resulta idóneo.

Cuando se trata en primer lugar de la lectura de textos largos, el papel de edición es el más adecuado.

En cada caso, hay que ponderar los papeles y los tipos que mejor combinan.

Éste es un texto de prueba. Sirve para apreciar muchas cuestiones relacionadas con el tipo en que está compuesto. Con un simple vistazo puede apreciarse el gris del bloque tipográfico. También puede comprobarse la legibilidad del tipo y los efectos que éste produce en el lector. Puede constatarse lo ancho o lo estrecho de su ojo. Si nos fijamos, podemos observar los caracteres aislados y sus particularidades. Cuando se comparan tipos con cierta frecuencia, pueden reconocerse y nombrarse. Naturalmente, también es importante, a la hora de determinar la legibilidad y el efecto de un tipo, el tamaño en que se compone, cómo se estructura la tipografía y sobre qué se imprime. Éste es un texto de prueba. Sirve para apreciar muchas cues-

**Éste es un texto de prueba. Sirve para apreciar muchas cuestiones relacionadas con el tipo en que está compuesto. Con un simple vistazo puede apreciarse el gris del bloque tipográfico. También puede comprobarse la legibilidad del tipo y los efectos que éste produce en el lector. Puede constatarse lo ancho o lo estrecho de su ojo. Si nos fijamos, podemos observar los caracteres aislados y sus particularidades. Cuando se comparan tipos con cierta frecuencia, pueden reconocerse y nombrarse. Naturalmente, también es importante, a la hora de determinar la legibilidad y el efecto de un tipo, el tamaño en que se compone, cómo se estructura la tipografía y sobre qué se imprime. Éste es un texto de**

Éste es un texto de prueba. Sirve para apreciar muchas cuestiones relacionadas con el tipo en que está compuesto. Con un simple vistazo puede apreciarse el gris del bloque tipográfico. También puede comprobarse la legibilidad del tipo y los efectos que éste produce en el lector. Puede constatarse lo ancho o lo estrecho de su ojo. Si nos fijamos, podemos observar los caracteres aislados y sus particularidades. Cuando se comparan tipos con cierta frecuencia, pueden reconocerse y nombrarse. Naturalmente, también es importante, a la hora de determinar la legibilidad y el efecto de un tipo, el tamaño en que se compone, cómo se estructura la tipografía y sobre qué se imprime. Éste es un texto de prueba. Sirve para apreciar muchas cuestiones relacionadas con el tipo en que está com-

Éste es un texto de prueba. Sirve para apreciar muchas cuestiones relacionadas con el tipo en que está compuesto. Con un simple vistazo puede apreciarse el gris del bloque tipográfico. También puede comprobarse la legibilidad del tipo y los efectos que éste produce en el lector. Puede constatarse lo ancho o lo estrecho de su ojo. Si nos fijamos, podemos observar los caracteres aislados y sus particularidades. Cuando se comparan tipos con cierta frecuencia, pueden reconocerse y nombrarse. Naturalmente, también es importante, a la hora de determinar la legibilidad y el efecto de un tipo, el tamaño en que se compone, cómo se estructura la tipografía y sobre qué se imprime. Éste es un texto de prueba. Sirve para apreciar muchas

# Reproducción, impresión, papel y legibilidad

Cómo se reproduce, cómo se imprime y sobre qué papel: todo es igualmente relevante para el resultado final.

**41**

Quien crea un impreso, debe tener claro cómo se va a imprimir y los usos que se le darán. Lo que puede quedar bien sobre el papel puede resultar catastrófico enviado por fax.

Del mismo modo que hay que armonizar tipo de letra y papel (páginas 32-40), tambien hay que tener en cuenta el procedimiento de impresión. Los ejemplos muestran algunos procedimientos (reproducidos, naturalmente), tanto en su tamaño original como en una ampliación.

### 1. Impresión *offset*
La imagen del tipo aparece bien perfilada y regular. La mayoría de los tipos de letra actuales están preparados para este tipo de reproducción.

### 2. Huecograbado
Asi se imprimen la mayoría de las revistas y la letra sufre mucho con este procedimiento. Los contornos aparecen débiles y deshilachados.

### 3. Impresión por ordenador con una **impresora láser** a 600 ppp.
La imagen tipográfica se ve más blanda y algo más gruesa que con la impresión en *offset*. En la ampliación puede apreciarse el «escalonado» que causa esto. En este nivel de calidad se encuentran hoy en día la mayoría de los resultados de la técnica de impresión digital.

### 4. Impresión por ordenador con una **impresora de inyección de tinta**.
El papel absorbe la tinta, con lo que el contorno del tipo pierde definición.

### 5. Transmisión por fax
Hay que elegir el tipo de letra y su cuerpo para garantizar la legibilidad, pese al maltrato que conlleva esta técnica. Esto se puede comprobar en la propia máquina de fax.

**1** con cientos de participantes; la gente competía con toda el alma, deslomaba caballos o se peleaba sin guantes de boxeo. En aquellas épocas, el deporte constituía una diversión, el complemento más hermoso del mundo. Luego se introdujo el argumento de la salud en el juego del deporte y, un poco más tarde, también la idea de que el deporte

## guantes de boxeo

**2** con cientos de participantes; la gente competía con toda el alma, deslomaba caballos o se peleaba sin guantes de boxeo. En aquellas épocas, el deporte constituía una diversión, el complemento más hermoso del mundo. Luego se introdujo el argumento de la salud en el juego del deporte y, un poco más tarde, también la idea de que el deporte

## guantes de boxeo

**3** con cientos de participantes; la gente competía con toda el alma, deslomaba caballos o se peleaba sin guantes de boxeo. En aquellas épocas, el deporte constituía una diversión, el complemento más hermoso del mundo. Luego se introdujo el argumento de la salud en el juego del deporte y, un poco más tarde, también la idea de que el deporte

## guantes de boxeo

**4** con cientos de participantes; la gente competía con toda el alma, deslomaba caballos o se peleaba sin guantes de boxeo. En aquellas épocas, el deporte constituía una diversión, el complemento más hermoso del mundo. Luego se introdujo el argumento de la salud en el juego del deporte y, un poco más tarde, también la idea de que el deporte

## guantes de boxeo

**5** con cientos de participantes; la gente competía con toda el alma, deslomaba caballos o se peleaba sin guantes de boxeo. En aquellas épocas, el deporte constituía una diversión, el complemento más hermoso del mundo. Luego se introdujo el argumento de la salud en el juego del deporte y, un poco más tarde, también la idea de que el deporte

## guantes de boxeo

Para poder imprimir diferentes escalas de grises (medios tonos), estos deben descomponerse, como es sabido, en trama de puntos. La resolución depende de la densidad de la trama que oscila desde los 25 puntos por centímetro (trama de periódico) hasta los 120 puntos (la impresión de más calidad). En las partes claras de una imagen, los puntos son pequeños y finos; cuanto más oscuras son las superficies, más grandes serán los puntos, hasta confluir finalmente en el tono de base.

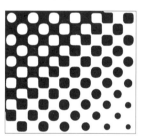

Las diferentes superficies de los papeles absorben la tinta de impresión de maneras distintas (véanse las páginas 42-49). En los papeles con superficie satinada, los puntos tienen una correspondencia exacta. En cambio, en papeles porosos y bastante absorbentes, la tinta se adentra en el papel y se expande: el punto se ensancha. Esto hay que tenerlo en cuenta en la producción de los fotolitos, esto es, de la película.

En las páginas siguientes se han impreso dos ilustraciones con porcentajes de trama distintos para compararlos. Con ello se quiere mostrar que son necesarios conocimientos amplios para armonizar a la perfección la litografía, la impresión y el papel. Por tanto, esta parte de la tipografía deberá dejarse a los especialistas (e incluso ellos tienen problemas con este aspecto).

Lo que se demuestra aquí con los ejemplos relativos al fotograbado a una tinta es también válido para la impresión en cuatricromía o bicromía (con dos colores). En este caso sí que se debe acudir a especialistas.

**Impresión sobre 4 papeles**
Papel *offset* pigmentado de un blanco roto

La cartografía y la fotografía se han impreso sobre cuatro papeles distintos para representar el modo como el soporte de la impresión puede modificar el efecto de ilustraciones idénticas.

Un mapa elaborado por ordenador y una fotografía reproducida por medios convencionales se han impreso con idéntica reproducción sobre cuatro papeles distintos (la fotografía con una trama de 60 puntos). Con ello se quiere demostrar la influencia del tipo de papel en la calidad de la impresión.

Sobre el papel *offset* pigmentado, el mapa y sus detalles parecen representados de forma satisfactoria.

También la fotografía parece bien reproducida a primera vista, pero si se la compara con la impresión sobre papel cuché de la derecha puede observarse que el contraste entre claros y oscuros no está tan conseguido como parecía. La impresión no resulta, pues, tan brillante.

# Impresión sobre 4 papeles

Papel cuché brillante

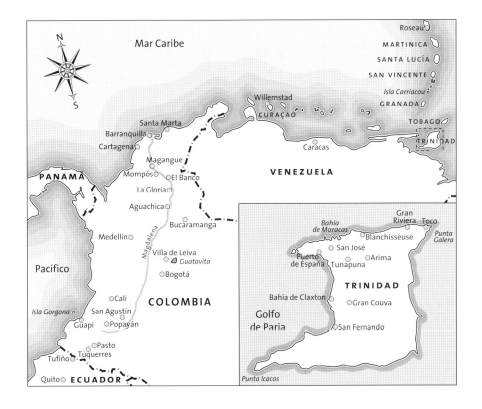

Imprimiéndolo sobre un papel cuché brillante, con su superficie satinada, no se pierde ningún detalle (se obtendrían los mismos resultados con un papel cuché mate).

Sobre la superficie lisa del papel cuché, resaltan de manera convincente las luces y las sombras, la claridad y la profundidad del original. Se trata de la mejor opción para reproducir las fotografías con «brillantez» (sin tener presente cierta gama de posibilidades con una bicromía).

**Impresión sobre 4 papeles**
Papel cuché brillante

Ambos retratos se han reproducido con tres densidades de trama distintas e impresos sobre cuatro papeles diferentes para mostrar la necesidad de decidir antes de la reproducción el papel sobre el que se hará la impresión.

Trama de 34 puntos

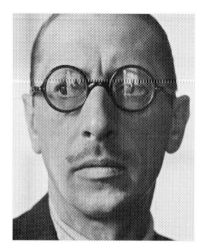

Trama de 34 puntos

La trama fina sobre un papel liso y blanco permite que la imagen se presente de la forma más clara. Este efecto solo podría potenciarse con la bicromía (la ayuda que supondría la adición de un segundo color). Imprimir en este papel con tramas de 60 o incluso de 34 puntos (o líneas) supondría una contradicción, ya que las imágenes quedarían dañadas sin necesidad alguna. Quizás sobre un papel cuché mate podrían mejorarse ambos retratos, pero para las exigencias más elevadas de representaciones técnicas o médicas la superficie brillante resulta más apropiada.

Trama de 60 puntos

Trama de 60 puntos

Trama de 100 puntos

Trama de 100 puntos

Trama de 34 puntos

Trama de 34 puntos

La superficie y la tonalidad de este papel de edición confiere a las imágenes un carácter especial, cálido. Pero esto se consigue a costa de la brillantez de la imagen: el contraste entre el negro de las zonas oscuras y la luminosidad del tono claro del papel es inevitablemente menor que el que se consigue en el papel *offset* pigmentado o, incluso, en el papel cuché. La menor definición de una trama de 34 puntos puede emplearse para obtener un efecto «gráfico» –a costa de las sutilezas–. La trama de 60 puntos supone un desafío para el impresor y la de 100 una exigencia desmesurada para este papel.

Trama de 60 puntos

Trama de 60 puntos

Trama de 100 puntos

Trama de 100 puntos

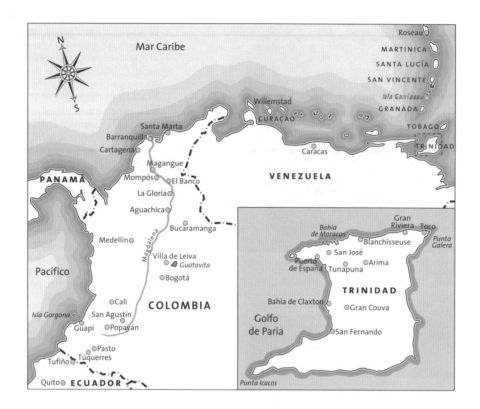

La superficie porosa del papel de edición hace que el mapa parezca comparativamente débil e impreciso.

En realidad, el papel de edición no está pensado para la reproducción de imágenes. Se pierde brillantez, la imagen adquiere un aspecto suave y compacto, pero gana en atmósfera. Los maestros impresores pueden conseguir como por arte de magia los resultados más convincentes.

## Papel de fotocopia extra blanco

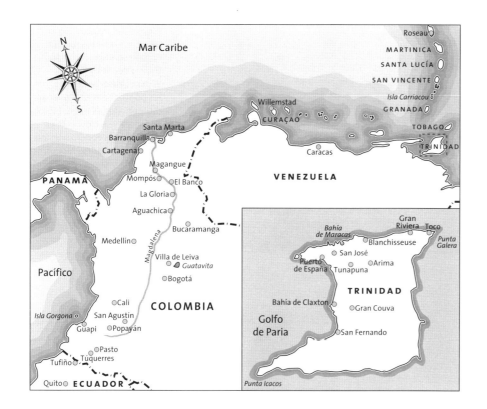

Se presupone que los matices se ven mejor sobre un papel blanco, aunque en realidad sucede todo lo contrario. El papel absorbe el color y el gráfico queda «ahogado».

Además molesta su transparencia; se ven las ilustraciones de las siguientes páginas.

Sobre un papel muy blanco y algo absorbente, la fotografía produce un efecto gris y débil, a pesar del contraste entre el blanco y el negro. Esto perjudica el mensaje de la imagen.

## 48  Impresión sobre 4 papeles
Papel de fotocopia extra blanco

Trama de 34 puntos

Trama de 34 puntos

A pesar del blanco intenso del papel, los retratos resultan emborronados –con la trama fina– o débiles y grises.
El papel absorbe la tinta, los puntos de trama quedan difuminados, el negro pierde su fuerza y se convierte en gris. En estas condiciones no puede conseguirse ningún efecto de imagen convincente.

Trama de 60 puntos

Trama de 60 puntos

Trama de 100 puntos

Trama de 100 puntos

Trama de 34 puntos

Trama de 34 puntos

Éste es el tipo de papel más utilizado para la reproducción de imágenes en la impresión en *offset*. Las imágenes no se ven tan brillantes como sobre papel cuché ni tampoco tienen la calidez atmosférica del papel de edición. Con todo, para impresos con muchas imágenes y también mucho texto, ésta es la elección óptima. La trama de 34 puntos es demasiado tosca; la de 60 es apropiada tanto para la fotografía como para el tipo de papel; y sólo los maestros impresores se atreverían con una trama más fina.

Trama de 60 puntos

Trama de 60 puntos

Trama de 100 puntos

Trama de 100 puntos

Por supuesto, existen más de 4 tipos de papel, pero con estos ejemplos hay suficiente para observar lo siguiente: La elección del papel y la sintonización de reproducción e impresión constituyen una parte tan importante del diseño tipográfico como el tipo y su disposición.

# ¿Composición en bloque o en bandera?

**Composición
en bloque** (izquierda)
Todas las líneas tienen la misma anchura, de modo que los espacios entre palabras varían necesariamente de anchura. En una mala composición, los espacios entre palabras pueden producir agujeros, con lo que se destroza la unidad de la línea.

**Composición
en bandera** (derecha)
El espacio entre palabras es igual en todas las líneas, con lo que se consigue una estructura uniforme y tranquila. Este tipo de composición conlleva una variación forzosa en la longitud de las líneas.

**Composición en bandera
correcta y errónea**
La composición en bandera es bastante «inquieta» y no hay que dejarla sólo en manos del ordenador. El ejemplo de la izquierda muestra una composición en bandera errónea: particiones que desfiguran el sentido y un conjunto arrítmico, tal como lo resuelve el programa de composición.

A la derecha tenemos el mismo texto con una composición en bandera trabajada. El sentido de las líneas se ha revisado con criterios lingüísticos y ópticos.

---

Éste es un texto de prueba. Sirve para apreciar muchas cuestiones relacionadas con el tipo en que está compuesto. Con un simple vistazo puede apreciarse el gris del bloque tipográfico. También puede comprobarse la legibilidad del tipo y los efectos que éste produce en el lector. Puede constatarse lo ancho o lo estrecho de su ojo. Si nos fijamos, podemos observar los caracteres aislados y sus particularidades. Cuando se comparan tipos con cierta frecuencia,

Éste es un texto de prueba. Sirve para apreciar muchas cuestiones relacionadas con el tipo en que está compuesto. Con un simple vistazo puede apreciarse el gris del bloque tipográfico. También puede comprobarse la legibilidad del tipo y los efectos que éste produce en el lector. Puede constatarse lo ancho o lo estrecho de su ojo. Si nos fijamos, podemos observar los caracteres aislados y sus particularidades. Cuando se comparan tipos con cierta frecuencia,

Sirve para apreciar muchas cuestiones relacionadas con el tipo en que está compuesto. Con un simple vistazo puede apreciarse el gris del bloque tipográfico. También puede comprobarse la legibilidad del tipo y los efectos que éste produce en el lector. Puede constatarse lo ancho o lo estrecho de su ojo. Si nos fijamos, podemos observar los caracteres aislados y sus particularidades. Cuando se comparan tipos con cierta frecuencia, pueden recono-

---

Éste es un texto de prueba. Sirve para apreciar muchas cuestiones relacionadas con el tipo en que está compuesto. Con un simple vistazo puede apreciarse el gris del bloque tipográfico. También puede comprobarse la legibilidad del tipo y los efectos que éste produce en el lector. Puede constatarse lo ancho o lo estrecho de su ojo. Si nos fijamos, podemos observar los caracteres aislados y sus particularidades. Cuando se comparan tipos con cierta

Éste es un texto de prueba. Sirve para apreciar muchas cuestiones relacionadas con el tipo en que está compuesto. Con un simple vistazo puede apreciarse el gris del bloque tipográfico. También puede comprobarse la legibilidad del tipo y los efectos que éste produce en el lector. Puede constatarse lo ancho o lo estrecho de su ojo. Si nos fijamos, podemos observar los caracteres aislados y sus particularidades. Cuando se comparan tipos con cierta fre-

Sirve para apreciar muchas cuestiones relacionadas con el tipo en que está compuesto. Con un simple vistazo puede apreciarse el gris del bloque tipográfico. También puede comprobarse la legibilidad del tipo y los efectos que éste produce en el lector. Puede constatarse lo ancho o lo estrecho de su ojo. Si nos fijamos, podemos observar los caracteres aislados y sus particularidades. Cuando se

Éste es un texto de prueba. Sirve para apreciar muchas cuestiones relacionadas con el tipo en que está compuesto. Con un simple vistazo puede apreciarse el gris del bloque tipográfico. También puede comprobarse la legibilidad

**La composición estrecha en bloque** conlleva inevitablemente antiestéticos agujeros en el texto.

Éste es un texto de prueba. Sirve para apreciar muchas cuestiones relacionadas con el tipo en que está compuesto. Con un simple vistazo puede apreciarse el gris del bloque tipográfico. También puede comprobarse la legibilidad del tipo y los efectos

**La composición estrecha en bandera** no presenta problemas. Regla práctica: composición estrecha = composición en bandera.

**Composición de eje central o centrada**
Es un tipo de composición refinado. La forma conjunta debe estar equilibrada y, acorde con ella, también la ruptura de las líneas, como mínimo en términos cuantitativos.

**Composición en bandera alineada a la derecha**
Un tipo de composición que a veces resulta sugerente desde un punto de vista estético, pero al cual el idioma reacciona de forma muy sensible, puesto que las palabras, o partes de ellas, que sobresalen por la izquierda se acentúan por la casualidad del cambio de línea.

Éste es un texto de prueba. Sirve para apreciar muchas cuestiones relacionadas con el tipo en que está compuesto. Con un simple vistazo puede apreciarse el gris del bloque tipográfico. También puede comprobarse la legibilidad del tipo y los efectos que éste produce en el lector. Puede constatarse lo ancho o lo estrecho de su ojo. Si nos fijamos, podemos observar los caracteres aislados y sus particularidades. Cuando se comparan tipos con cierta frecuencia, pueden reconocerse y nombrarse. Naturalmente, también es importante, a la hora de determinar la legibilidad y el efecto de un tipo, el tamaño en que se compone, cómo se estructura la tipografía y sobre qué se imprime. Éste es un texto de prueba. Sirve para apreciar muchas cuestiones relacionadas con el tipo en que está compuesto. Con un simple

Cuanto más ancha es la caja de composición mayor es el número de palabras por línea y más constante el espacio entre palabras.

Éste es un texto de prueba. Sirve para apreciar muchas cuestiones relacionadas con el tipo en que está compuesto. Con un simple vistazo puede apreciarse el gris del bloque tipográfico. También puede comprobarse la legibilidad del tipo y los efectos que éste produce en el lector. Puede constatarse lo ancho o lo estrecho de su ojo. Si nos fijamos, podemos observar los caracteres aislados y sus particularidades. Cuando se comparan tipos con cierta frecuencia, pueden reconocerse y nombrarse. Naturalmente, también es importante, a la hora de determinar la legibilidad y el efecto de un tipo, el tamaño en que se compone, cómo se estructura la tipografía y sobre qué se imprime. Éste es un texto de prueba. Sirve para apreciar muchas cuestiones relacionadas con el tipo en que está

En el caso de una caja de texto muy ancha, la opción de composición en bloque o en bandera la determina la estética y no la función.

Éste es un texto de prueba. Sirve para apreciar muchas cuestiones relacionadas con el tipo en que está compuesto. Con un simple vistazo puede apreciarse el gris del bloque tipográfico. También puede comprobarse la legibilidad del tipo y los efectos que éste produce en el lector. Puede constatarse lo ancho o lo estrecho de su ojo. Si nos fijamos, podemos observar los caracteres aislados y sus particularidades.

Éste es un texto de prueba. Sirve para apreciar muchas cuestiones relacionadas con el tipo en que está compuesto. Con un simple vistazo puede apreciarse el gris del bloque tipográfico. También puede comprobarse la legibilidad del tipo y los efectos que éste produce en el lector. Puede constatarse lo ancho o lo estrecho de su ojo. Si nos fijamos, podemos observar los caracteres aislados y sus particularidades. Cuando se comparan tipos con

# Resaltes tipográficos

Muy pocos de los textos que debemos leer son tan regulares y poco estructurados como una novela. La mayoría de las veces hay que destacar una palabra, una oración o un párrafo para clarificar la estructura del mensaje –aun cuando también los títulos proporcionan una división–. El tipógrafo debe pensar exactamente cuál es el fin de destacar algo y, luego, elegir el modo más adecuado y aplicarlo.

Se puede querer destacar algo para establecer relaciones o aclarar de manera pertinente una diferencia entre datos –en este caso se empleará la misma discreción en los elementos tipográficos–.

El objetivo también puede ser estructurar activamente y clarificar jerarquías; en este caso el tipógrafo optará por métodos más contundentes. La primera pregunta es: lo que se quiere destacar, ¿debe estar integrado en el texto o debe resaltar de él?

La manera clásica e **integrada de destacar** es utilizar la cursiva. Se adapta discretamente al gris del bloque tipográfico de su entorno de letras rectas y el lector no la percibe hasta que llega al lugar en cuestión.

Por otra parte, la manera clásica de **destacar algo activamente** es utilizar la seminegra o la negrita. Señala al lector el núcleo temático «antes» de que empiece a leer el párrafo o incluso la página.

También las **versalitas** (que tienen la forma de las mayúsculas y el tamaño de las minúsculas) resultan discretas ante el gris de su entorno, y se consideran una manera de destacar que queda integrada en el conjunto. Son uno de los métodos más utilizados para resaltar nombres propios y pueden componerse con o sin mayúsculas (véase también la página 59).

Las **versales** (mayúsculas) son resaltes activos que se abren paso en el texto. Si se toman tal y como las deja el ordenador, resultan demasiado compactas y grandes. Las palabras en versales deben espaciarse un poco y, para quien aprecia el valor de las composiciones cuidadas, se debe reducir su cuerpo entre 1/2 y 1 punto con respecto al cuerpo del texto en la mayoría de tipos.

Éste es un texto de prueba. Sirve para apreciar muchas cuestiones relacionadas con el tipo en que está compuesto. Con un simple vistazo puede apreciarse el gris del bloque tipográfico. También puede comprobarse la legibilidad del tipo y los efectos que su *cursiva* produce en el lector. Puede constatarse lo ancho o lo estrecho de su ojo. Si nos fijamos, podemos observar los caracteres aislados y sus particularidades. Cuando se comparan tipos con cierta frecuencia, pueden reconocerse y nombrarse. Natural-

Éste es un texto de prueba. Sirve para apreciar muchas cuestiones relacionadas con el tipo en que está compuesto. Con un simple vistazo puede apreciarse el gris del bloque tipográfico. También puede comprobarse la legibilidad del tipo y los efectos que su **negrita** produce en el lector. Puede constatarse lo ancho o lo estrecho de su ojo. Si nos fijamos, podemos observar los caracteres aislados y sus particularidades. Cuando se comparan tipos con cierta frecuencia, pueden reconocerse y nombrarse. Natural-

Éste es un texto de prueba. Sirve para apreciar muchas cuestiones relacionadas con el tipo en que está compuesto. Con un simple vistazo puede apreciarse el gris del bloque tipográfico. También puede comprobarse la legibilidad del tipo y los efectos que sus VERSALITAS producen en el lector. Puede constatarse lo ancho o lo estrecho de su ojo. Si nos fijamos, podemos observar las VERSALITAS aisladas y sus particularidades. Cuando se comparan tipos con cierta frecuencia, pueden reconocerse y nombrarse. Natu-

Éste es un texto de prueba. Sirve para apreciar muchas cuestiones relacionadas con el tipo en que está compuesto. Con un simple vistazo puede apreciarse el gris del bloque tipográfico. También puede comprobarse la legibilidad del tipo y los efectos que sus VERSALES producen en el lector. Puede constatarse lo ancho o lo estrecho de su ojo. Si nos fijamos, podemos observar los caracteres aislados y sus particularidades. Cuando se comparan tipos con cierta frecuencia, pueden reconocerse y nombrarse. Natu-

El **espaciado** es una forma de distinción delicada. Si no se es un maestro tipógrafo, hay que evitar su uso. Y, si es indispensable espaciar, deberá ensancharse también el espacio entre las palabras que siguen y preceden.

El espaciado de frases enteras o incluso de varias líneas perjudica la legibilidad. En cambio, usado como elemento decorativo, el espaciado puede ser muy atractivo.

Éste es un texto de prueba. Sirve para apreciar muchas cuestiones relacionadas con el tipo en que está compuesto. Con un simple vistazo puede apreciarse el gris del bloque tipográfico. También puede comprobarse la legibilidad del tipo y los efectos que su e s p a c i a d o produce en el lector. Puede constatarse lo ancho o lo estrecho de su ojo. Si nos fijamos, podemos observar los caracteres aislados y sus particularidades. Cuando se comparan tipos con cierta frecuencia, pueden reconocerse y nom-

**Mezcla de tipos**. Al usar diferentes tipos para diferenciar se corre el riesgo de que no se perciba lo que se quiere destacar, como lo demuestra la palabra de la antepenúltima línea. Destacar así sólo funciona bien cuando tambien se modifica el valor del gris (véanse también las páginas 24-25).

Éste es un texto de prueba. Sirve para apreciar muchas cuestiones relacionadas con el tipo en que está compuesto. Con un simple vistazo puede apreciarse el gris del bloque tipográfico. También puede comprobarse la legibilidad del tipo y los efectos que una **combinacion de letras** produce en el lector. Puede constatarse lo ancho o lo estrecho de su ojo. Si nos fijamos, podemos observar los caracteres aislados y sus particularidades. Cuando se comparan tipos con cierta frecuencia, pueden reconocerse y nom-

Los **subrayados** pueden oscilar desde filetes finos hasta barras gruesas; pueden estar formados por filetes de línea, coloreados o tramados, o por trazos de puntos (puntillado).

Siempre hay que ir con cuidado con las descendentes. La distancia entre la línea base y el subrayado debe ser grande para evitar el efecto desagradable e irritante del roce con las descendentes de las letras, o bien hay que saltarlas, lo que también puede distraer bastante.

Éste es un texto de prueba. Sirve para apreciar muchas cuestiones relacionadas con el tipo en que está compuesto. Con un simple vistazo puede apreciarse el gris del bloque tipográfico. También puede comprobarse la legibilidad del tipo y los efectos que el subrayado produce en el lector. Puede constatarse lo ancho o lo estrecho de su ojo. Si nos fijamos, podemos observar los subrayados aislados y sus particularidades. Cuando se comparan tipos con cierta frecuencia, pueden reconocerse y nom-

Una tipografía **coloreada** para destacar debe tener un peso lo suficientemente grueso, de lo contrario se pierde el efecto del color. Como mejor funcionan es en negrita.

Una tipografía en color no lo tiene fácil respecto de una tipografía en negro; su contraste claro/oscuro es siempre menor, pero, por ello, puede ser más activa dependiendo del grado de pureza del color.

Éste es un texto de prueba. Sirve para apreciar muchas cuestiones relacionadas con el tipo en que está compuesto. Con un simple vistazo puede apreciarse el gris del bloque tipográfico. También puede comprobarse la legibilidad del tipo y los efectos que la letra de color produce en el lector. Puede constatarse lo ancho o lo estrecho de su ojo. Si nos fijamos, podemos observar los **caracteres** aislados y sus particularidades. Cuando se comparan tipos con cierta frecuencia, pueden reconocerse y nombrarse. Natu-

# El tratamiento de cifras y números

*– Vas demasiado rápido.*
*– ¿Qué dices? ¡Indica a 80!*
*– No, no, indica a 60.*
*Así es como nos pueden poner*
*una multa por un tipo de letra*
*palo seco negra estrecha.*

**60 80**
**60 80**

Entretanto, las autoridades han aprendido la lección. El 6 de las señales nuevas es inconfundible.

Las investigaciones sobre la legibilidad de las letras se remontan a los años veinte del siglo xx. No obstante, la legibilidad de los números apenas ha recibido atención, aunque con las cifras (de las que se componen los números, como las palabras de caracteres) la distinción de las formas es mucho más importante que con los caracteres, puesto que en este segundo caso interiorizamos «las imágenes de las palabras», lo que no puede suceder con ninguna «imagen del número», ya que todas las combinaciones posibles de cifras tienen sentido.

La forma de las cifras, que tienen un origen arábico, no se ha desarrollado de forma paralela a la de los caracteres y, de hecho, en muchos tipos de letra puede adivinarse el esfuerzo que ha supuesto integrar formalmente sus correspondientes cifras.

En las columnas siguientes se indican algunas de las particularidades más relevantes de los números, una materia que, en su conjuto, es naturalmente mucho más compleja.

**Cifras versales** (cifras normales, cifras mayúsculas) Todas las cifras tienen la misma altura, que se corresponde con la de las mayúsculas.

**Cifras elzevirianas** (cifras comunes, cifras minúsculas) Estas cifras poseen astas ascendentes y descendentes, que se corresponden con las de las minúsculas.

Los **tipos palo seco clásicos** sólo conocían generalmente cifras versales, pero las versiones más recientes están provistas también de cifras elzevirianas con el fin de ampliar las posibilidades de uso.

Dentro del texto, las **cifras versales** sirven para destacar activamente (véase la página 52).

En cuanto a las **cifras elzevirianas**, se adaptan a las minúsculas.

Las **cifras voladas** se componen, en la mayoría de los casos, en cuerpos reducidos del mismo tipo utilizado para el texto. (Hay algunas fuentes tipográficas bien completas que poseen sus propias cifras voladas.)

1 2 3 4 5 6 7 8 9 0
1 2 3 4 5 6 7 8 9 0

1 2 3 4 5 6 7 8 9 0
1 2 3 4 5 6 7 8 9 0

Éste es un texto de prueba. Sirve para apreciar muchas cuestiones relacionadas con el tipo en el que está compuesto el 16.6.1999. Con un simple vistazo

Éste es un texto de prueba. Sirve para apreciar muchas cuestiones relacionadas con el tipo en que está compuesto el 16.6.1999. Con un simple vistazo

Éste es un texto de prueba. Sirve para apreciar muchas cuestiones relacionadas con el tipo en que está compuesto[1]. Con un simple vistazo puede apreciarse el gris[2] del bloque tipográfico. También puede comprobarse la legibilidad del tipo y los efectos que éste produce en el lector[3].

# Leer números

*– Buenos días, ¿puede ponerme con la señora Müller, del departamento de marketing?*
*– Creo que usted quiere hablar con la empresa Arguswerke. El número correcto es el 240328 y no el 240528. Usted es la quinta persona que nos llama durante el día de hoy.*

*Las indicaciones en el papel de carta estaban compuestas en tipo Walbaum, cuerpo 5, por lo que la diferencia entre el 3 y el 5 era apenas perceptible.*

La tipografía que se aplica en las direcciones y los números de tarjetas de visita y catálogos nos da un disgusto tras otro.

Se ha extendido la moda de poner los números de teléfono y las cuentas tan pequeños como sea posible y, encima, impresos con colores como el gris claro o el azul pálido. Un claro ejemplo de que, a menudo, los tipógrafos hacen prevalecer los valores estéticos a los funcionales.

En la columna de la derecha se encuentran una escala de tipografía fácil y otra difícil de leer –el planteamiento está tomado del «Typografischer Roman» («La novela tipográfica»), de Erik Spiekermann.

Esta escala debería servir para promover la reflexión de los propios tipógrafos sobre lo que se atreven a exigir a sus interlocutores potenciales.

Asimismo, el ejemplo de la parte superior pretende ilustrar que los números largos deben ser agrupados. En la columna del margen derecho se representa el modo en que un interlíneado generoso puede contribuir a la legibilidad.

Aquí ofrecemos un par de reglas básicas para la división de los números en grupos:
– Números de teléfono: hay que separarlos en grupos de tres contando desde el final y separar también el número telefónico de los correspondientes prefijos:
(+34) 934 563 457
– Números de cuenta: hay que separarlos en grupos de cuatro. Los códigos de identificación bancaria, asimismo en grupos de cuatro contando desde el principio:
Cuenta: 0936 2153
Clave: 5205 0353
– Códigos postales, sin separaciones: 34131
– Números de hasta tres dígitos sin punto: 300
– Números de cuatro o más dígitos, agrupados de tres en tres, separados por punto:
3.000, 30.000, 300.000

Un palo seco con efecto de enrejado, enemigo de la comunicación, diminuto y con números sin agrupar.
Teléfono (+34) 934536757
Fax (+34) 934563459
Cuenta 09362853 / Clave 52050353

El mismo tipo, un poco más legible al agrupar las cifras.
Teléfono (+34) 934 536 757
Fax (+34) 934 563 459
Cuenta 0936 2853 / Clave 5205 0353

En estos cuerpos mínimos, el 3 y 5 apenas pueden distibuirse en un tipo de letra, por lo demás tan bella, como la Wallbaum.
Teléfono (+34) 934 536 757
Fax (+34) 934 563 459
Cuenta 0936 2853
Clave 5205 0353

Con la Bodoni, el 3 y el 5 son diferentes, aunque el usuario también debe esforzarse.
Teléfono (+34) 934 536 757
Fax (+34) 934 563 459
Cuenta 0936 2853
Clave 5205 0353

Un palo seco moderno con un cuerpo muy pequeño y cifras versales. Las líneas de números resultan confusas.
Teléfono (+34) 934 536 757
Fax (+34) 934 563 459
Cuenta 0936 2853
Clave 5205 0353

La misma letra con cifras elzevirianas. Los números se leen mejor y las líneas resultan más claras.
Teléfono (+34) 934 536 757
Fax (+34) 934 563 459
Cuenta 0936 2853
Clave 5205 0353

Un cuerpo legible, un palo seco fino, cifras versales. Bonito, pero no muy fácil de leer.
Teléfono (+34) 934 536 757
Fax (+34) 934 563 459
Cuenta 0936 2853
Clave 5205 0353

**Un palo seco negrita. Muy expresiva, pero, aun así, no se lee bien.**
**Teléfono (+34) 934 536 757**
**Fax (+34) 934 563 459**
**Cuenta 0936 2853**
**Clave 5205 0353**

Una Romana con cifras elzevirianas, compuesta sin interlineado.
Teléfono (+34) 934 536 757
Fax (+34) 934 563 459
Cuenta 0936 2853
Clave 5205 0353

El mismo tipo con un interlineado mayor y mejor legibilidad.
Teléfono (+34) 934 536 757
Fax (+34) 934 563 459
Cuenta 0936 2853
Clave 5205 0353

Un palo seco con cifras elzevirianas, sin interlineado.
Teléfono (+34) 934 536 757
Fax (+34) 934 563 459
Cuenta 0936 2853
Clave 5205 0353

Tan legible como la Romana: un palo seco, cifras elzevirianas, interlineado.
Teléfono (+34) 934 536 757
Fax (+34) 934 563 459
Cuenta 0936 2853
Clave 5205 0353

**Los errores más queridos**

*Mis parientes cultos se burlan de todas las faltas ortográficas y gramaticales que cometen los redactores de los periódicos y de las revistas.*

*Pero no se dan cuenta de que en esas mismas publicaciones se incluyen a menudo errores tipográficos de la misma gravedad.*

**1**

*CULTURA - SALUD física - RELAJACION - ¡DISFRUTE DE UNAS VACACIONES VARIADAS!*

**2**

# JIMENO

LIBROS DE ARTE • EDICIONES PARA BIBLIÓfiLOS
**CASA FUNDADA EN 1.898**

**3**

XVIª MUESTRA DE PINTURA RÁPIDA Y PAISAJE
DIARIO EXCLUYENDO LUNES 11 - 18 H · MIÉRCOLES 11 - 20 H

**4**

"LA GABARRA"

*El establecimiento más antiguo del puerto*

RESTAURANTE
MARISQUERÍA Y TAPAS

**5**

a través de las secciones correspondientes de los conductos, por los que sólo se encuentran unos pocos aparcaderos.
Si se tiene en cuenta que una sola embarcación puede transportar lo que 67 camiones –reemplazando así a 67 viajes de camión–, es evidente la relevancia que tienen los canales de agua en términos de política de transportes y ecológica para la

**1. Curioso**. Una tipografía de fabricación casera. En ella hay varios errores. El texto está compuesto con una falsa versalita y con tres guiones cortos; el último sobra. El error más grave es ortográfico, ya que en castellano se acentúan las mayúsculas y las versalitas.

**2. Lamentable**. Un trabajo tipográfico con pretensiones. La composición en mayúsculas sólo resulta solemne y legible con una romana; en el caso de la letra gótica no funciona. Otro error –y muy frecuente– es el punto de millar en la datación de los años.

**3. Delictivo**. Errores crasos en una invitación a una exposición pública, una tarjeta por lo demás gráficamente impecable. En la primera línea hay una cifra romana con superíndice ordinal. La segunda línea resulta ininteligible al estar redactada de forma telegramática; sin preposiciones ni artículos y con el uso inadecuado del tiempo verbal en gerundio.

**4. Descuidado**. Un auténtico muestrario tipográfico. Por lo demás cabe comentar que las comillas es un signo ortográfico que se pone al principio y al fin de las frases incluidas como citas en un texto y, también, que las líneas con una justificación forzada alteran el interletraje y afean la composición.

**5. Valiente**. Este es un caso muy común en la prensa diaria. Un cuerpo inadecuado a un ancho de columna y una mala partición provocan agujeros en la lectura.

La expresión **«microtipografía»** hace referencia al detalle en la composición entre los caracteres y las palabras.

En esta columna se esconden 15 errores microtipográficos. Algunos de ellos delinquen «sólo» contra las buenas costumbres estéticas, mientras que otros son más bien errores ortográficos. Quien argumenta que «esto no es tan grave, uno ya entiende lo que se quiere decir», es que también acepta «¿tú comprender lo que yo decir?».

En las páginas siguientes se ofrecen algunas ayudas para localizar los errores.

Con todo, los errores que aquí se muestran son sólo los más estimados. En la práctica pueden encontrarse muchos más.

Si lo que se busca no es sólo matar el hambre, sino aprender a cocinar bien, se necesita un buen maestro o un buen libro de cocina.

Y si lo que se quiere no es sólo hacer algunas composiciones de texto útiles (para lo que ofrecemos estos «primeros auxilios»), sino aprender realmente a componer, hay que entrar a fondo en la materia.

Éste es un texto de prueba. Sirve para apreciar muchas cuestiones relacionadas con el tipo en que está compuesto. Con un simple vistazo puede apreciarse el gris del bloque tipográfico. ADEMáS se pude comprobar la legibilidad del tipo y los efectos que éste produce en el lector. Puede constatarse lo ancho o lo estrecho de su ojo. Si nos fijamos, podemos OBSERVAR los caracteres aislados y sus particularidades. Cuando se comparan tipos con cierta frecuencia, pueden reconocerse y nombrarse. Naturalmente, también es importante, a la hora de determinar la *legibilidad* y el efecto de un tipo, el cuerpo en el que se compone, cómo se estructura la tipografía y sobre qué se imprime. Naturalmente, también importante –a la hora de determinar la legibilidad– y el efecto de un tipo el cuerpo en el que se compone, cómo se estructura la tipografía y sobre qué se imprime. Si se estudian las letras con mayor detenimiento, podemos observar los caracteres — aislados — y sus particularidades.

Éste es un texto de prueba. Sirve para apreciar muchas cuestiones relacionadas con el tipo en que se compuso en los años 1998–1999. Sirve para apreciar muchas cuestiones relacionadas con el tipo en que está compuesto. Con un simple vistazo puede apreciarse el gris del bloque tipográfico. También puede comprobarse la legibilidad del tipo y los efectos que éste produce en el lector. Puede constatarse lo ancho o lo estrecho de su ojo. Si nos fijamos, podemos observar los caracteres aislados y sus »particularidades». "Cuando" se comparan tipos con cierta frecuencia, pueden reconocerse y nombrarse. Naturalmente, también es importante, a la hora de determinar la legibilidad y el ‹efecto› de un tipo, el tamaño en que se compone, cómo se estructura la tipografía y sobre qué se imprime. Éste es un texto de prueba. Sirve para apreciar muchas cuestiones relacionadas con el tipo en que se compuso en el '99. Con un simple vistazo puede apreciarse el gris del bloque tipográfico. También puede comprobarse la letra. Éste es un texto de prueba. Sirve para apreciar muchas cuestiones relacionadas con el tipo que está compuesto. Con un simple vistazo puede apreciarse el gris del bloque tipográfico. También puede comprobarse la legibilidad del tipo y los efectos que éste produce en el lector. Puede constatarse lo ancho o lo estrecho de su ojo. Si nos fijamos . . . podemos observar .... los caracteres aislados y sus particularidades. Cuando se comparan tipos con cierta frecuencia, pueden reconocerse éstos y nombrarse. Naturalmente, p.ej. también es importante a la hora de determinar p. ej. la legibilidad y el efecto p.  ej. de un tipo el tamaño grande o pequeño en que se compone y cómo se estructura la tipografía y sobre qué se imprime.

Éste es un texto de prueba. Sirve para apreciar muchas cuestiones relacionadas con el tipo en que está compuesto. Con un

# El juego de los errores: solución

Sin secretos

Éste es un texto de prueba. Sirve para apreciar muchas cuestiones relacionadas con el tipo en que está compuesto. Con un simple vistazo puede apreciarse el gris del bloque tipográfico. ADEMáS se pude comprobar la legibilidad del tipo y los efectos que éste produce en el lector. Puede constatarse lo ancho o lo estrecho de su ojo. Si nos fijamos, podemos OBSERVAR los caracteres aislados y sus particularidades. Cuando se comparan tipos con cierta frecuencia, pueden reconocerse y nombrarse. Naturalmente, también es importante, a la hora de determinar la *legibilidad* y el efecto de un tipo, el cuerpo en el que se compone, cómo se estructura la tipografía y sobre qué se imprime. Naturalmente, también es importante –a la hora de determinar la legibilidad– y el efecto de un tipo el tamaño en el que se compone, cómo se estructura la tipografía y sobre qué se imprime. Si se estudian las letras con mayor detenimiento, podemos observar los caracteres — aislados — y sus particularidades.

Éste es un texto de prueba. Sirve para apreciar muchas cuestiones relacionadas con el tipo en que se compuso en los años 1998–1999. Sirve para apreciar muchas cuestiones relacionadas con el tipo en que está compuesto. Con un simple vistazo puede apreciarse el gris del bloque tipográfico. Ta*m*bién puede comprobarse la legibilidad del tipo y los efectos que éste produce en el lector. Puede constatarse lo ancho o lo estrecho de su ojo. Si nos fijamos, podemos observar los caracteres aislados y sus »particularidades«. "Cuando" se comparan tipos con cierta frecuencia, pueden reconocerse y nombrarse. Naturalmente, también es importante, a la hora de determinar la legibilidad y el ‹efecto› de un tipo, el tamaño en que se compone, cómo se estructura la tipografía y sobre qué se imprime. Éste es un texto de prueba. Sirve para apreciar muchas cuestiones relacionadas con el tipo en que se compuso en el '99. Con un simple vistazo puede    apreciarse    el    gris    del    bloque    tipográfico. También puede comprobarse la letra. Éste es un texto de prueba. Sirve para apreciar muchas cuestiones relacionadas con el tipo que está compuesto. Con un simple vistazo puede apreciarse el gris del bloque tipográfico. También puede comprobarse la legibilidad del tipo y los efectos que éste produce en el lector. Puede constatarse lo ancho o lo estrecho de su ojo. Si nos fijamos. . . podemos observar... los caracteres aislados y sus particularidades. Cuando se comparan tipos con cierta frecuencia, pueden reconocerse éstos y nombrarse. Naturalmente, p.ej. también es importante a la hora de determinar p. ej. la legibilidad y el efecto p.  ej. de un tipo el tamaño grande o pequeño en que se compone y cómo se estructura la tipografía y sobre qué se imprime.

Éste es un texto de prueba. Sirve para apreciar muchas cuestiones relacionadas con el tipo en que está compuesto. Con un

Letra acentuada en mayúscula

Versalitas falsas

Letra inclinada en lugar de cursiva auténtica

Guiones usados como rayas

Rayas con separación errónea

Signos menos usados como guiones

Mezcla de letras distintas

Comillas erróneas

Comillas erróneas

Apóstrofo erróneo
Línea demasiado abierta
Línea demasiado compacta

Línea demasiado espaciada hasta justificar la caja

Puntos suspensivos demasiado separados o demasiado juntos

Abreviatura sin separación; abreviatura fragmentada
Abreviatura con una separación demasiado ancha

# Detalles

Versalitas, cursiva, comillas y apóstrofos

erróneo

correcto

Si nos fijamos bien, podemos OBSERVAR los caracteres aislados y sus particularidades.

Si nos fijamos bien, podemos OBSERVAR los caracteres aislados y sus particularidades.

**Las versalitas** tienen la forma de las mayúsculas y el tamaño y la función de las minúsculas. La fuerza de sus trazos se corresponde con la de las minúsculas, por lo que es imposible sustituirlas por mayúsculas reducidas.

Naturalmente, también es importante, a la hora de determinar la *legibilidad* y el efecto de un tipo, el cuerpo en que se compone,

Naturalmente, también es importante, a la hora de determinar la *legibilidad* y el efecto de un tipo, el cuerpo en que se compone,

**La cursiva** es una variante tipográfica cuyo desarrollo tiene una historia propia. Una imitación electrónica, inclinando un tipo con medios informáticos, no es una cursiva sino un malentendido.

Si nos fijamos, podemos observar los caracteres aislados y sus »particularidades». "Cuando" se comparan tipos con cierta frecuencia,

Si nos fijamos, podemos observar los caracteres aislados y sus «particularidades». "Cuando" se comparan tipos con cierta frecuencia,

**Las comillas inglesas** o dobles (" ") se utilizan cada vez más en lugar de las latinas o angulares (« »). En todo caso, se debe prestar atención al orden: " " o « »

Naturalmente, también es importante, a la hora de determinar la legibilidad y el ‹efecto› de un tipo.

Naturalmente, también es importante, a la hora de determinar la legibilidad y el ‹efecto› de un tipo.

Las **comillas sencillas latinas** no deben componerse con los signos matemáticos de «menor que» y «mayor que».

Sirve para apreciar muchas cuestiones relacionadas con el tipo en que se compuso en el '99. Con un simple vistazo puede apreciarse el gris del bloque tipográfico.

Sirve para apreciar muchas cuestiones relacionadas con el tipo en que se compuso en el '99. Con un simple vistazo puede apreciarse el gris del bloque tipográfico.

El **apóstrofo** que se utiliza en otras lenguas para señalar caracteres que faltan no debe utilizarse en español. Se ha extendido su uso en los años que acompañan a grandes acontecimientos (Barcelona '92), pero debe evitarse. En cuanto a su aspecto, es este: ' y no el de la comilla simple de inicio: '. El índice sería así: '

Naturalmente, también es importante –a la hora de determinar la legibilidad de un tipo– el cuerpo en el que se compone.

Naturalmente, también es importante —a la hora de determinar la legibilidad de un tipo— el cuerpo en el que se compone.

**Rayas y menos**
La raya o guión largo (cuadratín) emula una pausa del pensamiento y sirve para aislar un inciso; no debe confundirse con el guión, que es más corto.

Si se estudian las letras con mayor detenimiento, podemos observar los caracteres — aislados — y sus particularidades.

Si se estudian las letras con mayor detenimiento, podemos observar los caracteres —aislados— y sus particularidades.

La raya de apertura lleva un espacio antepuesto y la de cierre otro pospuesto, excepto si coincide con un signo de puntuación. La raya de cierre no debe omitirse nunca si se trata de un inciso.

Errores con guiones, rayas y puntos

erróneo

Éste es un texto de prueba de los años 1998–1999. Pocas veces desciende por debajo de -8° en toda la zona desde Kassel hasta Eppstein.

correcto

Éste es un texto de prueba de los años 1998-1999. Pocas veces desciende por debajo de –8° en toda la zona desde Kassel hasta Eppstein.

**Rayas, menos y guiones**
Para separar cifras se utilizará el guión sin ninguna separación entre éste y las cifras adjuntas. El signo de menos es un poco más largo y no debe confundirse con el guión ni con la raya. Se emplea para expresar números negativos o para cerrar indicaciones monetarias.

Éste es un texto de prueba. Éste es un texto de prueba. Éste es un texto de prueba teórico–práctico.

Éste es un texto de prueba. Éste es un texto de prueba. Éste es un texto de prueba teórico-práctico.

El guión se emplea también para la división de palabras a final de línea y para unir palabras compuestas.

Puede constatarse lo ancho o lo estrecho. Si nos fijamos . . . podemos observar.... los caracteres aislados y sus particularidades.

Puede constatarse lo ancho o lo estrecho. Si nos fijamos... podemos observar [...]. Los caracteres aislados y sus particularidades.

**Puntos suspensivos**
Se debe usar el carácter tipográfico ... y nunca componer tres puntos seguidos. Los puntos suspensivos que pertenecen al propio texto deben ir junto a la palabra precedente a los mismos y separados de la palabra siguiente por un espacio. Cuando después de los puntos suspensivos vaya punto, no se añadirá un cuarto punto. Cuando los puntos suspensivos indican omisión de una palabra o una parte de un texto, se colocarán entre corchetes y separados de las palabras precedentes y siguientes por un espacio; si después va punto, debe ponerse.

Naturalmente, p.ej. también es importante a la hora de determinar p. ej. la legibilidad y el efecto p.  ej. de un tipo el tamaño grande

Naturalmente, p. ej. también es importante a la hora de determinar p. ej. la legibilidad y el efecto p. ej. de un tipo el tamaño grande

**Las abreviaturas** no deben separarse por el final de una línea —a no ser que su longitud lo aconseje—, como puede ocurrir con títulos y nombres. Dentro de una misma abreviatura, no hay que dejar espacios, sino un blanco pequeño y fijo.

inadecuado Sirve para apreciar muchas cuestiones relacionadas con el tipo en que está compuesto. Con un simple vistazo puede apreciarse el GRIS de este BLOQUE TIPOGRÁFICO. También puede com-

adecuado Sirve para apreciar muchas cuestiones relacionadas con el tipo en que está compuesto. Con un simple vistazo puede apreciarse el GRIS de este BLOQUE TIPOGRÁFICO. También puede

inadecuado Sirve para apreciar muchas cuestiones relacionadas con el tipo en que está compuesto. Con un simple vistazo puede apreciarse el GRIS de este BLOQUE TIPOGRÁFICO. También puede com-

adecuado Sirve para apreciar muchas cuestiones relacionadas con el tipo en que está compuesto. Con un simple vistazo puede apreciarse el GRIS de este BLOQUE TIPOGRÁFICO. También puede compro-

inadecuado Éste es un texto de prueba. Sirve para apreciar muchas cuestiones sobre la forma del tipo en que está compuesto. Con un simple vistazo puede apreciarse el gris del bloque tipográfico. También puede comprobarse fácilmente la legibilidad del tipo —y los efectos que éste produce en el lector—. Puede constatarse lo ancho o lo estrecho de su ojo. Si nos fijamos, podemos observar los caracteres aislados y sus particularidades. Si

adecuado Éste es un texto de prueba. Sirve para apreciar muchas cuestiones sobre la forma del tipo en que está compuesto. Con un simple vistazo puede apreciarse el gris del bloque tipográfico. También puede comprobarse fácilmente la legibilidad del tipo —y los efectos que éste produce en el lector—. Puede constatarse lo ancho o lo estrecho de su ojo. Si nos fijamos, podemos observar los caracteres aislados y sus particularidades.

inadecuado Éste es un texto de prueba. Sirve para apreciar muchas cuestiones sobre la forma del tipo en que está compuesto. Con un simple vistazo puede apreciarse el gris del bloque tipográfico. También puede comprobarse fácilmente la legibilidad del tipo —y los efectos que éste produce en el lector—. Puede constatarse lo ancho o lo estrecho de su ojo. Si nos fijamos, podemos observar los caracteres aislados y sus particularidades.

adecuado Éste es un texto de prueba. Sirve para apreciar muchas cuestiones sobre la forma del tipo en que está compuesto. Con un simple vistazo puede apreciarse el gris del bloque tipográfico. También puede comprobarse fácilmente la legibilidad del tipo —y los efectos que éste tiene en el lector—. Puede constatarse lo ancho o lo estrecho de su ojo. Si nos fijamos, podemos observar los caracteres aislados y sus particularidades.

**Versales y versalitas**
Las versales y las versalitas (véanse las páginas 52 y 59), tal y como las compone el ordenador, resultan demasiado compactas. Surgen como manchas que ensucian el bloque tipográfico; para evitarlo hay que espaciarlas un poco.

En muchos tipos, las **versales** son relativamente grandes y es bueno para la composición que, además de espaciarlas, se reduzca un poco su tamaño.

En la **composición en bloque**, las particiones sucesivas molestan mucho menos que las líneas llenas de agujeros. En este tipo de composición, no hay que buscar las particiones más lógicas, puesto que pueden provocar agujeros en las líneas que dificultarían la lectura. (Por supuesto, hay que evitar también las particiones incorrectas.)

El **espaciado** es una forma de realce tipográfico. Repartiendo blancos en una línea se consigue que ésta justifique el ancho de la composición y, con ello y sin ningún motivo sustancial, queda resaltada. Este método, muy usado por los programas de composición, tiene unos efectos desagradables e irritantes que afectan a la lectura.

**¿Qué normas marcan el futuro de nuestros sistemas, de los procesos de nuestra industria?**

Cada vez existen más regulaciones para las distintas fases de los procesos y, en este sentido, rocultan indiconcablos tanto la consistencia como la convergencia. Hay que destacar las distintas normas ISO que se están poniendo en práctica actualmente. La Federación de

# Los medicamentos y los niños

Lugar: Salón de actos 116, C. Biegen, 14   -   Entrada gratuita

**a.** Aquí tenemos un viaje que incluye un pequeño almuerzo campestre en la taiga. **b.** Aquí tenemos un viaje que incluye un pequeño paseo para sus compras en Hong Kong. **c.** Aquí tenemos un viaje que incluye una interesante vuelta en coche por la ciudad de Berlín. **d.** Aquí tenemos un viaje que incluye una larga travesía en barco de vapor por el Rin. **e.** Aquí tenemos un viaje que incluye una extraordinaria excursión al Fujiyama. **f.** Aquí tenemos un viaje que incluye un costoso safari fotográfico por África.

Altas alambradas contienen al proletariado
Así se presenta el Estado socialista probado

¿Cómo se llaman las palabras que acompañan al núcleo?
**Consúltalo en la página 68 (Parte I).**

6

La tipografía estructura la lengua, pero en la composición en bloque (véase página 50) la lengua no tiene oportunidades para conseguir que se respeten sus derechos. El final de la línea determina el lugar en el que se interrumpe la lectura, aunque el lector casi no se dará cuenta. En la composición en bandera normal, ocurre algo similar, si excluimos el caso especial de la tipografía infantil (véanse las páginas 76-77).

Sin embargo, existe una serie de casos en los que no es la cantidad de caracteres lo que determina el salto de línea, sino la lengua. En estos casos, no debe confiarse en las particiones que propone el programa del ordenador, sino que hay que leer el texto.

La «vida misma» demostrará la utilidad de este consejo. Uno de los ejemplos procede de un libro para diseñadores, y se han extraído otros tres de libros de texto escolares –no hay que buscar mucho–.

En todos estos casos puede comentarse lo siguiente: ni siquiera las líneas que casi llenan la caja deben espaciarse hasta completarlas.

**incorrecto**

### Ejemplo para cualquier título

Éste es un texto de prueba. Sirve para apreciar muchas cuestiones relacionadas con el tipo en que es-

Introducción: el diseño de índices de contenido 7

Por qué no deben alinearse los números a la derecha 13

Obstáculos 32

¿Qué nos depara el futuro? 57

– Discuta los tipos de composición conocidos.
– Escriba 1.000 veces: compon go en bandera.

Retrato del compositor como elemento de ilustración.

Eric Schaal: Igor Strawinsky. Munich, mayo de 1932. Copia autografiada.

Albert Kapr / Walter Schiller: figura y función de la tipografía. Cooperativa del Libro Especializado, Leipzig 1983.

Erik Henk Ramadhoe: Los tipos y sus libros 1550-1850. 2 volúmenes. Editorial Goethals, Castrop-Rauxel 1988.

**correcto**

### Ejemplo para cualquier título

Éste es un texto de prueba. Sirve para apreciar muchas cuestiones relacionadas con el tipo en que es-

Introducción. La organización de índices de contenido 7

Por qué no deben alinearse los números a la derecha 13

Obstáculos 32

¿Qué nos depara el futuro? 57

– Discuta los tipos de composición conocidos.
Escriba 1.000 veces.
compongo en bandera.

Retrato del compositor como elemento de ilustración.

Eric Schaal: Igor Strawinsky Munich, mayo de 1932. Copia autografiada.

Albert Kapr / Walter Schiller figura y función de la tipografía. Cooperativa del Libro Especializado, Leipzig 1983.

Erik Henk Ramadhoe Los tipos y sus libros 1550-1850. 2 volúmenes Editorial Goethals Castrop-Rauxel 1988.

**La composición en bandera es necesaria:**
– En los títulos de todo tipo.

– En las líneas de los índices de contenido (en el ejemplo de la derecha, con la composición en bandera, los números de página siguen a los títulos; véase también la página 91).

– En los ejercicios de manuales y libros de texto.

– En los pies de foto.

En los pies de foto estructurados temáticamente; por ejemplo, en los catálogos, las líneas no deben dividirse atendiendo sólo a criterios lingüísticos, sino que hay que tener en cuenta también su contenido.

En listas de bibliografía o similares con muchas abreviaturas y datos, la composición en bloque origina agujeros irregulares en la línea de texto. Los apellidos quedan separados de los nombres respectivos y los meses de sus años. El único remedio para ello es la composición en bandera.

# 64 Entre líneas

La distancia entre las líneas resulta tan importante como las propias líneas. En nuestros tiempos, todavía conservamos una fea costumbre de la época de los tipos de plomo: una ampliación mínima del espacio entre líneas después de párrafos o grupos de texto, como pueden ser las listas. Puesto que en las líneas de texto se aprecian claramente los ascendentes y los descendentes, las diferencias en el interlineado pequeñas confunden, y sobre el texto se cierne la sensación de que su estructura no es comprensible.

| La buena tipografía, la legible, es siempre una tipografía clara.

Los ejemplos que siguen pretenden mostrar una cosa: o se deja un interlineado generoso, o ninguno. Al fin y al cabo (ya lo hemos indicado), hay otros medios de diferenciación.

**erróneo**

Éste es un texto de prueba. Sirve para apreciar muchas cuestiones relacionadas con el tipo en que está compuesto. Con un simple vistazo puede apreciarse el gris del bloque tipográfico.

Puede constatarse lo ancho o lo estrecho de su ojo. Si nos fijamos, podemos observar los caracteres aislados y sus particularidades.

Si se comparan tipos con cierta frecuencia, pueden reconocerse y nombrarse.

Naturalmente, también es importante, a la hora de determinar la legibilidad y el efecto de un tipo, el tamaño en que se compone, cómo se estructura la tipografía y sobre qué se imprime.

**correcto**

Éste es un texto de prueba. Sirve para apreciar muchas cuestiones relacionadas con el tipo en que está compuesto. Con un simple vistazo puede apreciarse el gris del bloque tipográfico.

Puede constatarse lo ancho o lo estrecho de su ojo. Si nos fijamos, podemos observar los caracteres aislados y sus particularidades.

Si se comparan tipos con cierta frecuencia, pueden reconocerse y nombrarse.

Naturalmente, también es importante, a la hora de determinar la legibilidad y el efecto de una letra, el tamaño en que se compone, cómo se estructura la tipografía y sobre qué se imprime.

**o bien**

Éste es un texto de prueba. Sirve para apreciar muchas cuestiones relacionadas con el tipo en que está compuesto. Con un simple vistazo puede apreciarse el gris del bloque tipográfico.

Puede constatarse lo ancho o lo estrecho de su ojo. Si nos fijamos, podemos observar los caracteres aislados y sus particularidades.

Si se comparan tipos con cierta frecuencia, pueden reconocerse y nombrarse.

Naturalmente, también es importante, a la hora de determinar la legibilidad y el efecto de un tipo, el tamaño en que se compone, cómo se estructura la tipografía y sobre qué se imprime.

**o también**

La caja de composición que se prevé al escoger el formato no es ninguna norma inquebrantable. La estructura interna de la página es más importante que el respeto a medidas externas, pero, aun así, son muchas las ocasiones en las que se invierten todos los esfuerzos posibles para llegar a todos los rincones del rectángulo cerrado de la caja. Esta tradición procede de las técnicas de composición en plomo y de la impresión tipográfica («la columna vertebral en cabeza»).

Los ejemplos de la derecha muestran distintas composiciones, unas veces con una «justificación vertical» que lleva el texto a la altura de la caja y, a su lado, respetando los espacios interiores y con «pies bailantes».

Algunos tipógrafos, amantes de la tradición, ven en la disimilitud entre alturas de columnas un desacato a la regla básica de la tipografía profesional: «Lo igual debe tratarse igual». Pero, ¿qué es más importante?, ¿los espacios interiores o los márgenes exteriores? Al compararlo, se aprecia sin dubitaciones: las páginas con una regularidad interior y alturas de columna distintos resultan mucho más tranquilas e invitan a la lectura en mayor medida que las que se han llevado a caja en altura.

## correcto

Boulanger, Paul
Prof. Dr., Directeur d'Études à l'École pratique des Hautes Études, Histoire et Civilisation du Livre
40 avenue de flaubert
F-78400 Chaton

Beimer, Joseph
Dr. phil. (BSB München)
Koblenzstraße 20
D-81245 München

Borchardt, Jule
Dr., HAB Wolfenbüttel
Postfach 1564
D-38299 Wolfenbüttel

Bose, Manfred
Paulerstraße 42
D-70192 Stuttgart

Danby, Albert
Prof., College of Letters, Arts and Science, Department of English, University of Southern California, Los Angeles
CA 90034-0314, USA

Dorwinsky, Jadwiga
Dr., Leitende Direktorin, Russische Hauptbliothek Vosdvijenka 3
RUS-104503 Moskau

Erdmann, Frank
Dr., Westfälische Wilhelms-Universität Münster, SFB 261, Träger, Felder, Formen pragmatischer Schriftlichkeit im Mittelalter
Zuckerstraße 41
D-47843 Münster

Erbach, Joachim
Dr., Direktor der Bibliothek des Bischöflichen Priesterseminars Passau
Kapuzinerstraße 13
D-55490 Trier

Fels, Marie-Christine
Dr. phil.
Am Königsborn 18
D-55126 Mainz

Fendt, Peter
Univ.-Prof. Dr., Johannes Gutenberg-Universität Mainz, Institut für Buchwissenschaft
D-56099 Mainz

Goff, Martin
Trinity College
GB-Oxford OF1 3OB

Hoegstraat, Henk
Prof. Dr., English Department
Leiden University
P. O. Box 9215
NL-2770 RA Leiden

Hublot, Jacques
Dr., 6 rue de la Fraternité, F-75687 Paris

Kann, Claude
Prof. Dr., École pratique des Hautes Études et Civilisation du Livre
40 avenue de flaubert
F-78400 Chaton

Kostov, Kyril
Univ.-Prof. Dr., Bayerische Julius-Maximilians-Universität Würzburg, Institut für Musikwissenschaft
Schloßplatz 2
D-97050 Würzburg

Kusnitzew, Andrej
Russische Staatsbibliothek
RUS-104503 Moskau

Leary, Agnes
Prof., College of Letters, Arts and Science, Department of English, University of Northern, Middle and Southern California, McDougal Street 88
Los Angeles
CA 90034-0314, USA

Martin, Erik
Drs., Hoogstedelaan 75
NL-2712 DM Arnhem

Maru, Simon
Prof. Dr., 8 rue du Alpha
F-75409 Paris

Mehring, Walter
Dr. jur., Rechtsanwalt
Petrastraße 82
D-65485 Wiesbaden

Miegel, Xaver
Priv.-Doz. Dr.
Victoriastraße 9
D-80636 München

Neider, Claudia
Dr. phil., Fakultät für Ostasienwissenschaften, Sprache und Literatur Chinas
Ruhr-Universität Bochum
D-45780 Bochum

Oppel, Eva
Dr., Badische Landesbibliothek
Kronprinzenstraße 15
D-74133 Karlsruhe

---

1782
El 20 de abril, en Saulgau, nace Sauter, hijo de un carnicero y una funcionaria contable.
Por parte de madre, provenía de una prolífica familia de pintores. En Saulgau inicia una amistad con su primo de cinco años, Meinrad Mesmer (1777-1852), una relación que resultará decisiva en el transcurso de su vida.

1802-1811
Sauter pasa ese tiempo en Viena, donde cursa sus estudios universitarios en la Academia Imperial.

1803
Su primo Meinrad Mesmer pasa a ser el educador del joven Franz Xaver, hijo de los condes de Königsegg.
Más tarde, Mesmer se convierte en el administrador de todas las posesiones de los Königsegg, situadas en Oberschwaben, Hungría y Austria.
Sauter consiguió varios trabajos en la residencia condal a través de la mediación de su primo.

1808
Sauter visita en Viena, junto con su primo y los condes de Königsegg, la Pinacoteca Imperial. También visitan el parque Prater.
Allí contemplan un panorama y miran por una cámara oscura.

1810
Sauter viaja a la Hungría septentrional con su primo y los condes de Königsegg para pasar un tiempo en las propiedades condales. Él se hospeda en la finca Rownye.

1811
Sauter se establece en Aulendorf.
Primero reside en un piso de la plaza Schlossplatz y más tarde en la casa número 36 (el actual número 46 de Hauptstrasse), que compró en 1818.

1814
El emperador austriaco Francisco I visita Aulendorf procedente de París, de vuelta a Viena, donde empieza pocas semanas después el congreso de Viena.

1819
Sauter se casa con Antonie Glaris, la hija de un funcionario de Hacienda y de una dama de la corte de la reina de Holanda.
El primero de sus ocho hijos había nacido ya en 1815.

1827/1828
Sauter y otros artistas del reino de Württemberg participan en Stuttgart en los trabajos del castillo Rosenstein del rey Guillermo I. En 1827 Sauter viaja a Suiza.

1827-1836
Sauter vuelve a exponer en la Fundación de Arte de Württemberg, la cual le había encomendado la promoción de nuevos talentos nacionales.

1830
Sauter viaja al Rin inferior.

1823-1855
Sauter lleva a cabo numerosos trabajos de decoración y restauración en el techo cubierto de madera de la iglesia parroquial de Aulendorf.

1841
Sauter renueva la decoración de la marquesina de la sala de ceremonias del castillo de Heiligenberg, por encargo del príncipe de Fürstenberg.

1843
Recibe el encargo de edificar un nuevo altar mayor para la iglesia parroquial de Aulendorf.

1856
Sauter muere en Aulendorf.
Dos de sus ocho hijos, Karoline (nacida en 1821) y Louis (1830) se decantan por el oficio de su padre. También el pintor de cámara Richard Mesmer (1820-1875) y Matthäus Kern (1801-1852), cuyo trabajo se desarrolló en Viena, son discípulos de Johann Georg Sauter.

## incorrecto

Boulanger, Paul
Prof. Dr., Directeur d'Études à l'École pratique des Hautes Études, Histoire et Civilisation du Livre
40 avenue de flaubert
F-78400 Chaton

Beimer, Joseph
Dr. phil. (BSB München)
Koblenzstraße 20
D-81245 München

Borchardt, Jule
Dr., HAB Wolfenbüttel
Postfach 1564
D-38299 Wolfenbüttel

Bose, Manfred
Paulerstraße 42
D-70192 Stuttgart

Danby, Albert
Prof., College of Letters, Arts and Science, Department of English, University of Southern California, Los Angeles
CA 90034-0314, USA

Dorwinsky, Jadwiga
Dr., Leitende Direktorin, Russische Hauptbliothek Vosdvijenka 3
RUS-104503 Moskau

Erdmann, Frank
Dr., Westfälische Wilhelms-Universität Münster, SFB 261, Träger, Felder, Formen pragmatischer Schriftlichkeit im Mittelalter
Zuckerstraße 41
D-47843 Münster

Erbach, Joachim
Dr., Direktor der Bibliothek des Bischöflichen Priesterseminars Passau
Kapuzinerstraße 13
D-55490 Trier

Fels, Marie-Christine
Dr. phil.
Am Königsborn 18
D-55126 Mainz

Fendt, Peter
Univ.-Prof. Dr., Johannes Gutenberg-Universität Mainz, Institut für Buchwissenschaft
D-56099 Mainz

Goff, Martin
Trinity College
GB-Oxford OF1 3OB

Hoegstraat, Henk
Prof. Dr., English Department
Leiden University
P. O. Box 9215
NL-2770 RA Leiden

Hublot, Jacques
Dr., 6 rue de la Fraternité, F-75687 Paris

Kann, Claude
Prof. Dr., École pratique des Hautes Études et Civilisation du Livre
40 avenue de flaubert
F-78400 Chaton

Kostov, Kyril
Univ.-Prof. Dr., Bayerische Julius-Maximilians-Universität Würzburg, Institut für Musikwissenschaft
Schloßplatz 2
D-97050 Würzburg

Kusnitzew, Andrej
Russische Staatsbibliothek
RUS-104503 Moskau

Leary, Agnes
Prof., College of Letters, Arts and Science, Department of English, University of Northern, Middle and Southern California, McDougal Street 88
Los Angeles
CA 90034-0314, USA

Martin, Erik
Drs., Hoogstedelaan 75
NL-2712 DM Arnhem

Maru, Simon
Prof. Dr., 8 rue du Alpha
F-75409 Paris

Mehring, Walter
Dr. jur., Rechtsanwalt
Petrastraße 82
D-65485 Wiesbaden

Miegel, Xaver
Priv.-Doz. Dr.
Victoriastraße 9
D-80636 München

Neider, Claudia
Dr. phil., Fakultät für Ostasienwissenschaften, Sprache und Literatur Chinas
Ruhr-Universität Bochum
D-45780 Bochum

Erdmann, Frank
Dr., Westfälische Wilhelms-Universität Münster, SFB 261, Träger, Felder, Formen pragmatischer Schriftlichkeit im Mittelalter
Zuckerstraße 41
D-47843 Münster

Oppel, Eva
Dr., Badische Landesbibliothek
Kronprinzenstraße 15
D-74133 Karlsruhe

Dorwinsky, Jadwiga
Dr., Leitende Direktorin, Russische Hauptbliothek Vosdvijenka 3
RUS-104503 Moskau

---

1782
El 20 de abril, en Saulgau, nace Sauter, hijo de un carnicero y una funcionaria contable.
Por parte de madre, provenía de una prolífica familia de pintores. En Saulgau inicia una amistad con su primo de cinco años, Meinrad Mesmer (1777-1852), una relación que resultará decisiva en el transcurso de su vida.

1802-1811
Sauter pasa este tiempo en Viena, donde cursa sus estudios universitarios en la Academia Imperial.

1803
Su primo Meinrad Mesmer pasa a ser el educador del joven Franz Xaver, hijo de los condes de Königsegg.
Más tarde, Mesmer se convierte en el administrador de todas las posesiones de los Königsegg, situadas en Oberschwaben, Hungría y Austria.
Sauter consiguió varios trabajos en la residencia condal a través de la mediación de su primo.

1808
Sauter visita en Viena, junto con su primo y los condes de Königsegg, la Pinacoteca Imperial. También visitan el parque Prater.
Allí contemplan un panorama y miran por una cámara oscura.

1810
Sauter viaja a la Hungría septentrional con su primo y los condes de Königsegg para pasar un tiempo en las propiedades condales. Él se hospeda en la finca Rownye.

1811
Sauter se establece en Aulendorf.
Primero reside en un piso de la plaza Schlossplatz y más tarde en la casa número 36 (el actual número 46 de Hauptstrasse), que compró en 1818.

1814
El emperador austriaco Francisco I visita Aulendorf procedente de París, de vuelta a Viena, donde empieza pocas semanas después el congreso de Viena.

1819
Sauter se casa con Antonie Glaris, la hija de un funcionario de Hacienda y de una dama de la corte de la reina de Holanda.
El primero de sus ocho hijos había nacido ya en 1815.

1827/1828
Sauter y otros artistas del reino de Württemberg participan en Stuttgart en los trabajos del castillo Rosenstein del rey Guillermo I. En 1827 Sauter viaja a Suiza.

1827-1836
Sauter vuelve a exponer en la Fundación de Arte de Württemberg, la cual le había encomendado la promoción de nuevos talentos nacionales.

1830
Sauter viaja al Rin inferior.

1823-1855
Sauter lleva a cabo numerosos trabajos de decoración y restauración en el techo cubierto de madera de la iglesia parroquial de Aulendorf.

1841
Sauter renueva la decoración de la marquesina de la sala de ceremonias del castillo de Heiligenberg, por encargo del príncipe de Fürstenberg.

1843
Recibe el encargo de edificar un nuevo altar mayor para la iglesia parroquial de Aulendorf.

1856
Sauter muere en Aulendorf.
Dos de sus ocho hijos, Karoline (nacida en 1821) y Louis (1830) se decantan por el oficio de su padre. También el pintor de cámara Richard Mesmer (1820-1875) y Matthäus Kern (1801-1852), cuyo trabajo se desarrolló en Viena, son discípulos de Johann Georg Sauter.

Los marcos y los adornos, especialmente con fondos de trama o de color, son un recurso muy apreciado, sobre todo por parte de los docentes. Dejemos aparte si lo que se pretende es fomentar la atención y facilitar la lectura —como cabría esperar—. En cualquier caso, el tipo debe tener un peso suficiente para no rendirse ante la trama, y el tono de ésta debe ser lo bastante claro para no aplastar la letra, para no hacer que se sienta comprimida.

Cuando está en juego la lectura y no un efecto en particular, la superficie de la trama y el bloque tipográfico o mancha de texto no deben tener el mismo tamaño, como se muestra en el ejemplo superior. Si se opta por un marco con filete, se tendrá que dejar normalmente un margen blanco alrededor del texto.

La superficie de la trama debe componerse como si tuviera un marco con filete.

Ejemplo de un fondo limitado por un filete.

Éste es un texto de prueba. Sirve para apreciar muchas cuestiones relacionadas con el tipo en que está compuesto. Con un simple vistazo puede apreciarse el gris del bloque tipográfico. También puede comprobarse la legibilidad del tipo y los efectos que éste produce en el lector. Puede constatarse lo ancho o lo estrecho de su ojo. Si nos fijamos, podemos observar los caracteres aislados y sus particularidades. Si se comparan tipos con cierta frecuencia, podrán reconocerse fácilmente.

Éste es un texto de prueba. Sirve para apreciar muchas cuestiones relacionadas con el tipo en que está compuesto. Con un simple vistazo puede apreciarse el gris del bloque tipográfico. También puede comprobarse la legibilidad del tipo y los efectos que éste produce en el lector. Puede constatarse lo ancho o lo estrecho de su ojo. Si nos fijamos, podemos observar.

Éste es un texto de prueba. Sirve para apreciar muchas cuestiones relacionadas con el tipo en que está compuesto. Con un simple vistazo puede apreciarse el gris del bloque tipográfico. También puede comprobarse la legibilidad de la letra y los efectos que éste produce en el lector. Puede constatarse lo ancho o lo estrecho de su ojo. Si nos fijamos, podemos observar.

Éste es un texto de prueba. Sirve para apreciar muchas cuestiones relacionadas con el tipo en que está compuesto. Con un simple vistazo puede apreciarse el gris del bloque tipográfico. También puede comprobarse la legibilidad del tipo y los efectos que éste produce en el lector. Puede constatarse lo ancho o lo estrecho de su ojo. Si nos fijamos, podemos observar.

**Página de la derecha:**

Debido al efecto distante que produce un bloque de texto compacto, las revistas y otras publicaciones semejantes prefieren componer la caja con recortes de texto breves y atrayentes. Su diseño puede naturalmente influir en la sensación que nos sugiera la página.

En este sentido, los programas de ordenador nos brindan una multitud de trucos tipográficos: tramas y estructuras, degradados, marcos con efectos tridimensionales y muchísimo más. El empleo de estos recursos debería dejarse en manos de los virtuosos de la tipografía. Los ejemplos quieren mostrar que también pueden obtenerse resultados atractivos con medios sencillos.

**El ojo decide.**

Los textos en cajas suelen situarse casi siempre demasiado abajo, con lo que parecen deslizarse. El espacio situado por encima del texto debe resultar visualmente algo más pequeño que el inferior. Esto es válido también para textos sobre fondos de color o fondos tramados.

**El ojo decide.**

Éste es un texto de prueba. Sirve para apreciar muchas cuestiones relacionadas con el tipo en que está compuesto. Con un simple vistazo puede apreciarse el gris del bloque tipográfico. También puede comprobarse la legibilidad del tipo y los efectos que éste produce en el lector. Puede constatarse lo ancho o lo estrecho de su ojo. Si nos fijamos, podemos observar los caracteres aislados y sus particularidades. Cuando se comparan tipos con cierta frecuencia, pueden reconocerse y nombrarse. Naturalmente, también es importante, a la hora de determinar la legibilidad y el efecto de un tipo, el tamaño en que se compone, cómo se estructura la tipografía y sobre qué se imprime. Éste es un texto de prueba. Sirve para apreciar muchas cuestiones relacionadas con el tipo en que está compuesto. Con un simple vistazo puede apreciarse el gris del bloque tipográfico. También puede comprobarse la legibilidad del tipo y los efectos que éste produce en el lector. Puede constatarse lo ancho o lo estrecho de su ojo. Si nos fijamos, podemos observar los caracteres aislados y sus particularidades. Cuando se comparan tipos con cierta frecuencia, pueden reconocerse y nombrarse. Naturalmente, también es importante, a la hora de determinar la legibilidad y el efecto de un tipo, el tamaño en que se compone, cómo se estructura la tipografía y sobre qué se imprime. Éste es un texto de prueba. Sirve para apreciar muchas cuestiones relacionadas con el tipo en que está compuesto. Con un simple vistazo puede apreciarse el gris del bloque tipográfico. También puede comprobarse la legibilidad del tipo y los efectos que éste produce en el lector. Puede constatarse lo ancho o lo estrecho de su ojo. Si nos fijamos, podemos observar los caracteres aislados y sus particularidades. Cuando se comparan tipos con cierta frecuencia, pueden reconocerse y nombrarse. Naturalmente, también es importante, a la hora de determinar la legibilidad y el efecto de un tipo, el tamaño en que se compone, cómo se estructura la tipografía y sobre qué se imprime. Éste es un texto de prueba. Sirve para apreciar muchas cuestiones relacionadas con el tipo en que está compuesto. Con un simple vistazo puede apreciarse el gris del bloque tipográfico. También puede comprobarse la legibilidad del tipo y los efectos que éste produce en el lector. Puede constatarse lo ancho o lo estrecho de su ojo. Si nos fijamos, podemos observar los caracteres aislados y sus particularidades. Cuando se comparan tipos con cierta frecuencia, pueden reconocerse y nombrarse. Naturalmente, también es importante, a la hora de determinar la legibilidad y el efecto de un tipo, el tamaño en que se compone, cómo se estructura la tipografía y sobre qué se imprime. Éste es un texto de prueba. Sirve para apreciar muchas cuestiones relacionadas con el tipo en que está compuesto. Con un simple vistazo puede apreciarse el gris del bloque tipográfico. También puede comprobarse la legibilidad del tipo y los efectos que éste produce en el lector. Puede constatarse lo ancho o lo estrecho de su ojo. Si nos fijamos, podemos observar los caracteres aislados y sus particularidades. Cuando se comparan tipos con cierta frecuencia, pueden recono-

> **Es
> que
> somos
> los
> mejores**

cerse y nombrarse. Naturalmente, también es importante, a la hora de determinar la legibilidad y el efecto de un tipo, el tamaño en que se compone, cómo se estructura la tipografía y sobre qué se imprime. Éste es un texto de prueba. Sirve para apreciar muchas cuestiones relacionadas con el tipo en que está compuesto. Con un simple vistazo puede apreciarse el gris del bloque tipográfico. También puede comprobarse la legibilidad del tipo y los efectos que éste produce en el lector. Puede constatarse lo ancho o lo estrecho de su ojo. Si nos fijamos, podemos observar los caracteres aislados y sus particularidades. Cuando se comparan tipos con cierta frecuencia, pueden reconocerse y nombrarse. Naturalmente, también es importante, a la hora de determinar la legibilidad y el efecto de un tipo, el tamaño en que se compone, cómo se estructura la tipografía y sobre qué se imprime. Éste es un texto de prueba. Sirve para apreciar muchas cuestiones relacionadas con el tipo en que está compuesto. Con un simple vistazo puede apreciarse el gris del bloque tipográfico. También puede comprobarse la legibilidad del tipo y los efectos que éste produce en el lector. Puede constatarse lo ancho o lo estrecho de su ojo. Si nos fijamos, podemos observar los caracteres aislados y sus particularidades. Cuando se comparan tipos con cierta frecuencia, pueden reconocerse y nombrarse. Naturalmente, también es importante, a la hora de determinar la legibilidad y el efecto de un tipo, el tamaño en que se compone, cómo se estructura la tipografía y sobre qué se imprime. Éste es un texto de prueba. Sirve para apreciar muchas cuestiones relacionadas con el tipo en que está compuesto. Con un simple vistazo puede apreciarse el gris del bloque tipográfico. También puede comprobarse la legibilidad del tipo y los efectos que éste produce en el lector. Puede constatarse lo ancho o lo estrecho de su ojo. Si nos fijamos, podemos observar los caracteres aislados y sus particularidades. Cuando se comparan tipos con cierta frecuencia, pueden reconocerse y nombrarse. Naturalmente, también es importante, a la hora de determinar la legibilidad y el efecto de un tipo, el tamaño en que se compone, cómo se estructura la tipografía y sobre qué se imprime. Éste es un texto de prueba. Sirve para apreciar muchas cuestiones relacionadas con el tipo en que está compuesto. Con

> **Es
> que
> somos
> los
> mejores**

un simple vistazo puede apreciarse el gris del bloque tipográfico. También puede comprobarse la legibilidad del tipo y los efectos que éste produce en el lector. Puede constatarse lo ancho o lo estrecho de su ojo. Si nos fijamos, podemos observar los caracteres aislados y sus particularidades. Cuando se comparan tipos con cierta frecuencia, pueden reconocerse y nombrarse. Naturalmente, también es importante, a la hora de determinar la legibilidad y el efecto de un tipo, el tamaño en que se compone, cómo se estructura la tipografía y sobre qué se imprime. Éste es un texto de prueba. Sirve para apreciar muchas cuestiones relacionadas con el tipo en que está compuesto. Con un simple vistazo puede apreciarse el gris del bloque tipográfico. También puede comprobarse la legibilidad del tipo y los efectos que éste produce en el lector. Puede constatarse lo ancho o lo estrecho de su ojo. Si nos fijamos, podemos observar los caracteres aislados y sus particularidades. Cuando se comparan tipos con cierta frecuencia, pueden reconocerse y nombrarse. Naturalmente, también es importante, a la hora de determinar la legibilidad y el efecto de un tipo, el tamaño en que se compone, cómo se estructura la tipografía y sobre qué se imprime. Éste es un texto de prueba. Sirve para apreciar muchas cuestiones relacionadas con el tipo en que está compuesto. Con un simple vistazo

> **Es
> que
> somos
> los
> mejores**

puede apreciarse el gris del bloque tipográfico. También puede comprobarse la legibilidad del tipo y los efectos que éste produce en el lector. Puede constatarse lo ancho o lo estrecho de su ojo. Si nos fijamos, podemos observar los caracteres aislados y sus particularidades. Cuando se comparan tipos con cierta frecuencia, pueden reconocerse y nombrarse. Naturalmente, también es importante, a la hora de determinar la legibilidad y el efecto de un tipo, el tamaño en que se compone, cómo se estructura la tipografía y sobre qué se imprime. Éste es un texto de prueba. Sirve para apreciar muchas cuestiones relacionadas con el tipo en que está compuesto. Con un simple vistazo puede apreciarse el gris del bloque tipográfico. También puede comprobarse la legibilidad del tipo y los efectos que éste produce en el lector. Puede

Éste es un texto de prueba. Sirve para apreciar muchas cuestiones relacionadas con el tipo en que está compuesto. Con un simple vistazo puede apreciarse el gris del bloque tipográfico. También puede comprobarse la legibilidad del tipo y los efectos que éste produce en el lector. Puede constatarse lo ancho o lo estrecho de su ojo. Si nos fijamos, podemos observar los caracteres aislados y sus particularidades. Cuando se comparan tipos con cierta frecuencia, pueden reconocerse y nombrarse. Naturalmente, también es importante, a la hora de determinar la legibilidad y el efecto de un tipo, el tamaño en que se compone, cómo se estructura la tipografía y sobre qué se imprime. Éste es un texto de prueba. Sirve para apreciar muchas cuestiones relacionadas con el tipo en que está compuesto. Con un simple vistazo puede apreciarse el gris del bloque tipográfico. También puede comprobarse la legibilidad del tipo y los efectos que éste produce en el lector. Puede constatarse lo ancho o lo estrecho de su ojo. Si nos fijamos, podemos observar los caracteres aislados y sus particularidades. Cuando se comparan tipos con cierta frecuencia, pueden reconocerse y nombrarse. Naturalmente, también es importante, a la hora de determinar la legibilidad y el efecto de un tipo, el tamaño en que se compone, cómo se estructura la tipografía y sobre qué se imprime. Éste es un texto de prueba. Sirve para apreciar muchas cuestiones relacionadas con el tipo en que está compuesto. Con un simple vistazo puede apreciarse el gris del bloque tipográfico. También puede comprobarse la legibilidad del tipo y los efectos que éste produce en el lector. Puede constatarse lo ancho o lo es-

> **Es
> que
> somos
> los
> mejores**

trecho de su ojo. Si nos fijamos, podemos observar los caracteres aislados y sus particularidades. Cuando se comparan tipos con cierta frecuencia, pueden reconocerse y nombrarse. Naturalmente, también es importante, a la hora de determinar la legibilidad y el efecto de un tipo, el tamaño en que se compone, cómo se estructura la tipografía y sobre qué se imprime. Éste es un texto de prueba. Sirve para apreciar muchas cuestiones relacionadas con el tipo en que está compuesto. Con un simple vistazo puede apreciarse el gris del bloque tipográfico. También puede comprobarse la legibilidad del tipo y los efectos que éste produce en el lector. Puede constatarse lo ancho o lo es-

trecho de su ojo. Si nos fijamos, podemos observar los caracteres aislados y sus particularidades. Cuando se comparan tipos con cierta frecuencia, pueden reconocerse y nombrarse. Naturalmente, también es importante, a la hora de determinar la legibilidad y el efecto de un tipo, el tamaño en que se compone, cómo se estructura la tipografía y sobre qué se imprime. Éste es un texto de prueba. Sirve para apreciar muchas cuestiones relacionadas con el tipo en que está compuesto. Con un simple vistazo puede apreciarse el gris del bloque tipográfico. También puede comprobarse la legibilidad del tipo y los efectos que éste produce en el lector. Puede

> **Es
> que
> somos
> los
> mejores**

constatarse lo ancho o lo estrecho de su ojo. Si nos fijamos, podemos observar los caracteres aislados y sus particularidades. Cuando se comparan tipos con cierta frecuencia, pueden reconocerse y nombrarse. Naturalmente, también es importante, a la hora de determinar la legibilidad y el efecto de un tipo, el tamaño en que se compone, cómo se estructura la tipografía y sobre qué se imprime. Éste es un texto de prueba. Sirve para apreciar muchas cuestiones relacionadas con el tipo en que está compuesto. Con un simple vistazo puede apreciarse el gris del bloque tipográfico. También puede comprobarse la legibilidad del tipo y los efectos que éste produce en el lector. Puede

# Los dictados de la tipografía

Hay tipógrafos que se creen los amos del mundo. Hacen un proyecto al que todo debe adaptarse: el texto debe acortarse y hay que recortar las imágenes, tanto si respeta el contenido como si no.

Pero lo correcto es todo lo contrario: el texto y la imagen son los que determinan la tipografía.

¿Es que la fotografía de la izquierda es más relevante que la de la derecha? No, lo único que ocurre es que es más grande. ¿El campanario de arriba es más importante que el de abajo? ¿El emperador es más importante que el deportista? ¿Está bien disponer juntas las imágenes de los deportistas? Tres ejemplos tan reales como la vida misma, en los que la compaginación ha prevalecido sobre el tamaño de las ilustraciones, para desgracia de éstas.

No debería permitirse que el original de una fotografía de tamaño grande se reproduzca en un catálogo con unas dimensiones reducidas, sólo porque la mala suerte ha querido que el original estuviese pintado o fotografiado en un gran formato, o que una imagen en formato horizontal adquiere importancia sólo por este hecho.

Las proporciones de la composición deben determinarse de acuerdo con los formatos y las proporciones de las imágenes, y no al contrario.

En la página de la derecha se han esbozado de forma esquemática algunas de las posibilidades para unir texto e imagen —ya sea en la página de una revista o en un folleto—.

En algunos de los ejemplos, es la compaginación la que dicta los tamaños de imágenes, mientras que en otros pueden adaptarse al contenido gráfico; en el último caso, la composición de la página parte del tamaño y del contenido de la imagen.

Para unos «primeros auxilios», deben bastar estas simples indicaciones. No podemos adentrarnos aquí en los problemas complejos de la retícula tipográfica o de los campos de imágenes.

# Compaginación con imágenes

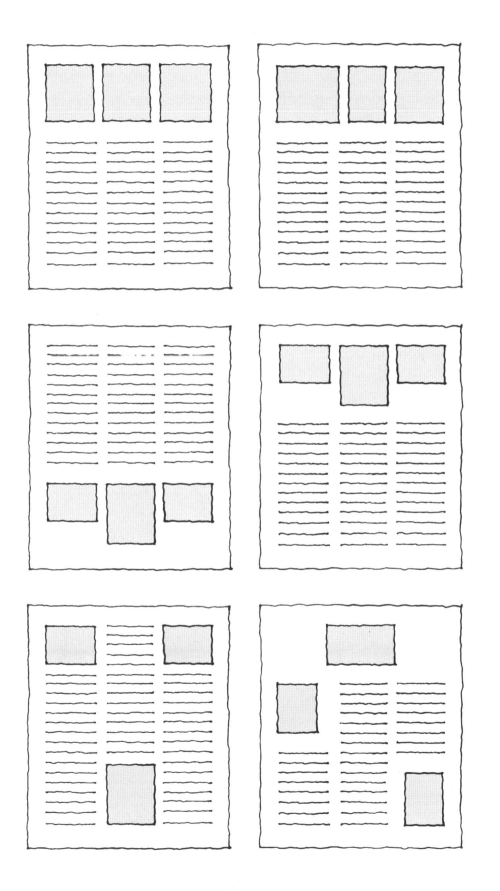

**izquierda**

La altura y la anchura de las imágenes son iguales. Esto sólo puede suceder con contenidos emparentados; de lo contrario deben hacerse recortes –a menudo a costa de la imagen–.

**derecha**

La altura de las imágenes es la misma, pero no la anchura. Así se evitan recortes. Con todo, las medidas de la ilustración quedarán determinadas por las dimensiones casuales de los formatos verticales y horizontales. Atención: los cantos de la imagen y de las columnas no deben molestarse unos a otros.

Anchos de imágenes idénticos y alturas distintas. Las proporciones de las imágenes pueden respetarse, pero no las dimensiones.

**izquierda**

De nuevo anchos de imágenes iguales y alturas diferentes. Las imágenes se integran en las columnas, lo cual exige sensibilidad de composición para que las imágenes no se perturben entre sí.

**derecha**

Composición libre con anchos de imagen independientes de la amplitud de la columna. Las imágenes pueden insertarse de acuerdo con el efecto buscado. Las partes no impresas se activan. Este es el método más vivaz, aunque también el más peligroso.

# De la relación entre imágenes

El ejemplo proviene de un volumen cuya compaginación parte de una rigurosa retícula. Desde el punto de vista de la superficie, la doble página está bien organizada, pero no lo está el contenido de las imágenes. El tamaño, los recortes y la secuencia de las ilustraciones vienen determinados por el esquema, y no por la forma, el enunciado del contenido pictórico o el ángulo visual. La diagonal formada por la mano del religioso relaciona de manera involuntaria las dos fotografías arriba a la derecha.

Las imágenes que se disponen al lado o encima de otras imágenes no pueden mirarse aisladamente, sino que están influidas por las vecinas. El tipógrafo no debe dejar a la suerte esta relación entre imágenes, sino que debe procurar que las imágenes de una página se refuercen entre ellas y no se perjudiquen. Esto depende de diversos componentes:
– de las dimensiones proporcionales de la superficie de la imagen;
– del peso (si son claras u oscuras);
– de la dinámica de la forma y el contenido;
– de complementos pictóricos casuales.
– de la lógica interna.

Estos dos últimos elementos son los que pretenden remarcar los bocetos que se ofrecen en esta doble página.

**Relación circunstancial aparente**
Las imágenes situadas junto a otras (al lado, encima o debajo) se relacionan formalmente entre ellas. La casualidad fotográfica puede llevar a engaños curiosos.

El compaginador debe corregir estos engaños ópticos. En este ejemplo, esto se consigue con un pequeño cambio en el recorte practicado en las imágenes inferiores.

En este otro ejemplo, la distancia entre las imágenes se amplía para que no se produzca la sensación de complementariedad entre ellas.

De arriba abajo:
cerca, alejado, lejos. Una sucesión lógica de imágenes y una
página formalmente adecuada.

Cerca, lejos, y luego un poco
menos lejos o menos cerca.
La sucesión de imágenes no
resulta comprensible, por lo
que parece que la página
«se tambalea». El observador
siente cierto malestar sin
saber por qué.

Un *travelling* de la cámara
(o un paseo) desde lo lejano a
lo cercano. Tan plausible como
el desarrollo de las imágenes
es la reconstrucción formal de
la página.

De arriba abajo:
vista de pájaro, a ras de suelo,
de frente. Es un galimatías
lógico y formal. De esta
manera no puede funcionar la
construcción de una página
de imágenes. El observador
no lo racionaliza, pero falta
«la fuerza de persuasión
interna».

Arriba una vista a ras de suelo:
sobre la iglesia está el cielo y el
observador mira hacia arriba.
En el centro, una vista de
frente, con la que mira recto.
Y abajo la vista de pájaro: el
observador lo ve desde un lugar elevado. Una página armó-
nica porque es objetivamente
correcta.

Una página aparentemente
bien construida desde el punto
de vista de las superficies,
pero carece de lógica interna.
Una persona situada en el
centro mira arriba, pero lo que
ve está situado abajo en la
página; mira abajo, pero lo
que ve está arriba.

El avión del ejemplo de la izquierda se aleja volando. El de la derecha se aproxima a un desenlace catastrófico. Si se encontrase al pie de la columna, significaría: un avión en el suelo.

No sólo tiene importancia «qué» aspecto tiene una imagen, sino también «dónde» está situada.

El monstruito de la izquierda está exultante porque se siente triunfador, pero el mismo muñeco a la derecha se daría de cabeza contra la pared porque se sabe atrapado. Con un único cambio, la ubicación, cambia el enunciado de la imagen.

«Tu país te necesita». No puede negarse uno fácilmente a la apariencia sugestiva de quien intenta reclutarnos desde el centro de la página; pero, si se le exilia a la esquina inferior derecha, la imagen se convierte en una indicación secundaria.

# Imagen contra imagen; imagen con imagen

La disposición de las imágenes debe depender siempre del contenido de éstas y de su forma, no de los requisitos formales de la tipografía.

73

**izquierda**
Dos columnas con dos superficies previstas para las ilustraciones: puede funcionar, pero la mayoría de las veces fracasará.

**derecha**
Cuando las imágenes son adecuadas en términos de tamaño y contenido, el resultado es bueno.

**izquierda**
Si las imágenes no tienen ninguna relación formal o de contenido, puede llamar la atención.

**derecha**
Un intento de suavizar la discrepancia entre las imágenes poniendo espacio de por medio.

**izquierda**
Tampoco es bueno que las imágenes se complementen excesivamente bien. El resultado de esta relación se traduce en un enunciado que probablemente no tenga nada que ver con el texto; deben representarse dos retratos, pero no un diálogo entre ambos.

**derecha**
Un intento de romper esa «charla» engañosa con una modificación de las dimensiones de las superficies y una separación de las imágenes.

**Tipos para neófitos de la lectura**

*Unavez,parahacermáscortoun largoviajeentrenconlosnietos, nosllevamosunabaraja.Eljuego semalogróporqueyoteníaqueir mirandolascartasdelosniños: «¿Quédiceaquí?»Laletraerala Futura,enlaquedybse confunden.*

Los lectores avezados aprehenden palabras enteras de un solo vistazo, sin deletrearlas. Los neófitos, sean niños, adultos, estudiantes nativos de otras lenguas o de otras escrituras, no pueden hacer lo mismo. Y, al contrario que los lectores avanzados, tampoco pueden deducir, a partir del significado supuesto de un vocablo, cuál es la imagen de la palabra y, de ahí, la letra, en caso de que exista alguna confusión. Deben analizar, es decir, deletrear, como lo haríamos todos en el extranjero con una lengua o una escritura que no son las nuestras.

En el tema de los **tipos para niños** existen dos escuelas de pensamiento. Una parte de la convicción de que los tipos destinados a ser leídos por principiantes deben tener una forma **sencilla,** por lo que para los cuadernillos y los libros de dibujo se escogen letras palo seco.

La otra escuela se fundamenta en que los caracteres no deben ser extremadamente sencillos, sino tan **claros** como sea posible, por lo que recurren sobre todo a las romanas.

Ambas opiniones pueden sustentarse con buenos argumentos.

Los caracteres de formas simples pueden enseñarse y copiarse con menos complicaciones, pero las formas claras e inconfundibles son de mayor importancia. Los caracteres de nuestros tipos más usuales –sobre todo los palo seco– no son tan unívocos como suponemos. Para los primerizos en la lectura existe toda una serie de trampas.

Por medio de unas pocas combinaciones de caracteres, podemos representar estos problemas.

Las advertencias contenidas en esta página reiteran, en parte, lo que ya se trató en la página 20.

### Simetría
Para muchos niños, la izquierda y la derecha, arriba y abajo todavía no están perfectamente definidos. Aunque un tipo mire a uno u otro lado o se asiente sobre la cabeza o el pie, no los distinguen: para ellos la forma es la misma.
Por ello hay que cuidar que estas formas no sean «iguales». En los tipos palo seco, es necesario aplicar artimañas, mientras que en las romanas, con sus remates, las diferencias están la mayoría de las veces presentes de manera «natural».

### Identidad aparente
I y l, i y j no están diferenciadas entre sí, o muy poco. En el caso de tipos para niños, deben resultar claramente diferenciados, lo que es más difícil en los palo seco que en los tipos con remates normales.

### Ambigüedades
En los tipos para niños debe descartarse que la suma de dos letras conjuntas pueda tener la misma apariencia que una tercera.

### Proporciones
Los ascendentes deben ser lo bastante largos para que no pueda confundirse ningún carácter.

ae ae
ae

dbqp
dbqp
dbqp

ll ll Il Il
ij ij ij ij

rn rn
rn

hn hn
ad ad

Los lectores experimentados ya no deletrean, sino que asimilan imágenes de palabras. Dependiendo del tipo, éstas se impregnan en la memoria de maneras diferentes. En este aspecto, la combinación de caracteres juega un papel importante. Para explicarlo, sirvan unos cuantos ejemplos de algunas palabras poco habituales en cuerpos distintos. Los lectores neófitos deben deletrear cada palabra desconocida del mismo modo en que nosotros lo hacemos cuando no las conocemos.

Otra cuestión relevante es el cuerpo de letra. La creencia general de que «cuanto más pequeño sea el niño, más grande debe ser la letra», es una equivocación segura.

También aquí existen dos escuelas de pensamiento. Una aboga por tamaños de letras relativamente grandes para cuadernillos y libros de dibujos, con el fin de que las diferencias entre las formas de los caracteres resulten claras. Sólo cuando se haya adquirido cierta soltura en las rutinas de la lectura se introducirán cuadernillos y libros de letras más pequeñas.

La otra escuela, en cambio, parte de la observación de que los niños con ojos sanos enfocan de un modo muy preciso, y leen a una distancia muy corta del papel. Con cuerpos grandes, las palabras largas requerirían fijar la vista dos o tres veces por palabra, con lo que su imagen no podría aprehenderse como una unidad y, así, se perjudicaría el proceso de aprendizaje de la lectura.

Los autores de este libro no se ven capaces de tomar partido por una u otra corriente; sólo pueden ofrecer una visión general del panorama existente.

## A darazsak
is gemberedve ülnek feszkükön.

## Szemem nem
kutat nok szÜz hajfonatan.

## Talan ma meg
börig levetkezem, s elfutok a Telehold utan.

## Gyüjtögettem mint
ahogy mas belyeget, kepeslapot.

## Vonalkak-ejszakak
maganya, kesz a lomtar!

## Sorsomat sebes
hullamaid ele hajtom.

Captar la imagen de la palabra

# Captar la imagen de

Éste es un texto de prueba. Sirve para apreciar muchas cuestiones relacionadas con el tipo en que está compuesto. Con un simple vistazo puede apreciarse el gris del bloque tipográfico. También puede comprobarse la legibilidad del tipo y los efectos que éste produce en el lector. Puede constatarse lo ancho o lo

Éste es un texto de prueba. Sirve para apreciar muchas cuestiones relacionadas con el tipo en que está compuesto. Con un simple vistazo puede apreciarse el gris del bloque tipográfico. También puede comprobarse la legibilidad del tipo y los efectos que éste produce en el lector. Puede constatarse lo ancho o lo estrecho de su ojo. Si nos fijamos, podemos

Para la cuestión de cuál es el **tipo** más idóneo para la primera edad de lectura, pueden haber respuestas diversas, tal como se expuso en las páginas precedentes.

En el caso de que nos preguntemos por la **tipografía** más idónea para los niños, pueden darse algunas recomendaciones claras.

– La **longitud de la línea** debe poder captarse de un vistazo. Unas 50 pulsaciones por línea sería lo recomendable.

– Los **saltos de línea** deben orientarse por relaciones de significado.

– Para que la **imagen de las palabras** puedan captarse de forma clara, las palabras deben estar bien separadas de sus vecinas.

– Por ello, los **espacios entre palabras** deben ser mayores que en la composición «normal», sin perjuicio de esta norma: el interlineado debe ser mayor que el espacio entre palabras.

– Por tanto, hay que escoger un **interlineado** suficientemente grande.

Los ejemplos de esta página provienen de libros dedicados al aprendizaje de la lectura, es decir, de cuadernillos. Se han reducido al 90 %.

Érase una vez una niña pobre y buena. Vivía sola con su madre y ya no les quedaba nada que comer. Entonces se encontró con una anciana que conocía sus penas y que le regaló una cazuelita. La anciana le dijo que cuando tuviesen hambre cogieran la cazuela y le dijeran: «¡Cazuela, cazuelita, cocina para esta niñita!» Y entonces les cocinaría papillas de mijo dulces y sabrosas. Y si le decían

Las lechuzas de las nieves

atrapan a sus presas durante

el día, a veces a un campañol,

otras a un conejo

o a un pato.

**Por fin ha llegado el último día de escuela. Mañana empiezan las vacaciones. Iremos al mar o a la sierra. O nos quedaremos en casa.**

Una tipografía **antilectura** para cuadernillos. Los caracteres están demasiado apretados, el espacio entre palabras es muy escaso, el interlineado demasiado estrecho, por ello la mirada no es llevada por las líneas. Además, los saltos de línea no tienen en cuenta el contenido e incluso se parten palabras.

Una tipografía **para leer**. El espacio entre palabras se ajusta a la imagen de la palabra, es lo bastante grande para dejar ver y entender la palabra como una unidad; el interlineado ancho evita que la vista resbale entre las líneas. El tipo, una «Gill Volk und Wissen» («Gill para el pueblo y la ciencia») es muy legible.

**Sensata**. Aquí no ha sido el tipógrafo el que se ha preocupado por que los saltos de línea estuviesen de acuerdo con el sentido, sino el autor. El tipo, el espacio entre palabras y el interlineado se han acoplado de modo que la perpendicularidad de los trazos de la letra no limitara esencialmente la configuración de la línea.

El ejemplo inferior se ha extraído de un cuadernillo. Aparte del cambio a un «tipo normal», las líneas son **demasiado largas**, incluso para un lector adulto, y, por supuesto, para un niño.

La brujita le quería mucho, porque era un cuervo muy especial que siempre tenía algo que decir y que no se mordía nunca el pico. La pequeña bruja dedicaba seis horas al día a practicar la brujería. El arte de la brujería no es nada fácil. Quien quiera llegar a ser alguien como bruja, no debe ser perezosa.

15

El ejemplo que nos proporciona la práctica de una editorial infantil muestra que las indicaciones de estos «primeros auxilios» no son sólo válidas para problemas simples, sino también para los más complejos.

El concepto tipográfico de un libro de lectura de 2° y 3er curso, reducido al 58 %.

El tipo base es el Concorde. Este tipo responde a las exigencias expuestas en la página 74:
– Las formas de los caracteres son claramente diferenciadas, no pueden confundirse.
– El tipo es capaz de generar imágenes de palabra claras.

Quizás el espacio entre palabras que se aprecia en los dos primeros niveles sea demasiado escaso, pero el interlineado suficiente impide que se resbale de una línea a otra.

«Bastante bien», dijo la muñeca,
«pero no te olvides del vestido verde».
Así hablaban mientras el pintor
tejía una peluca de lana roja para la muñeca.
«¿Quieres que tenga ojos azules?», le preguntó a Sabina.
«No, verdes», dijo Sabina. «Tiene que ser diferente
a todas las demás. Tiene que tener los ojos verdes
y un vestido verde.»
Cuando la muñeca estuvo casi acabada,
el pintor dijo que su cara parecía algo tonta.
«Yo no lo creo», dijo Sabina. «A mí me gusta así.»
Entonces cogió pintura verde y con un pincel pintó la muñeca

Esta tipografía está construida para evolucionar con la seguridad en la lectura de los niños.

De entrada, todos los textos están dispuestos de modo que los niños encuentren una conclusión al final de cada línea. Ha llegado a una meta. El salto de línea sigue a una unidad de sentido, sin tener en cuenta la belleza de la forma.

Mi padre se quedó allí un instante y no dijo nada más. Había cerrado los ojos y tenía un aspecto muy curioso, totalmente distinto que de costumbre. Cada vez sentía más miedo. Tenía ganas de llorar, pero no quería llorar, porque le pondría todavía más triste.
Después de un tiempo, volvió a abrir los ojos.
«Martín», dijo él, «estoy perdido. No puedo dar ni un solo paso más ¿Te das cuenta del frío que hace? Aquí arriba, de noche puede llegar a nevar. Si me quedo aquí toda la noche me pondré incluso más enfermo. Es posible que me muera de frío. Y tú también te enfriarás y te pondrás enfermo.»

Al final del segundo año, un cambio a la composición en bandera, sin tener en cuenta que la línea componga una expresión completa, pero no hay particiones de palabras. También empieza así el libro de texto del tercer ano.

un tronco para encender fuego. Pero el gato no estaba para bromas, le saltó a la cara, le escupió y le arañó. Eso le asustó muchísimo, se fue corriendo e intentó salir por la puerta de atrás, pero el perro, que estaba allí tumbado, dio un salto y le mordió la pierna; y cuando salió al patio y pasó por delante del estiércol, el asno le dio una coz muy fuerte con las patas traseras; y entonces el gallo se despertó con el estrépito de la coz y, despierto, gritó desde el balcón: «¡quiquiriquí!» El ladrón corrió tanto como pudo y se reunió con su jefe. Le dijo: –¡Ahhh! ¡En esa casa hay una bruja cruel! Me ha escupido y me ha arañado la cara con unos largos dedos; y delante de la puerta había un hombre con un cuchillo que me ha cortado la pierna; y en el patio había un monstruo negro que me ha golpeado brutalmente con un bastón de madera; y arriba, en el

En un nivel avanzado, se pasa a una composición en bandera con partición de palabras, pero éstas no deben alterar el sentido.

Kalle se acostumbró a la abuelita muy pronto, aunque pensaba que su casa era muy rara. Al fin y al cabo, la abuelita tenía todos esos muebles desde hacía mucho tiempo y no podía renovarlos por él.
Casi tiene habitación propia. Durante el día, la abuelita la utiliza para coser y por la noche Kalle tiene que ir con mucho cuidado buscando agujas para no clavárselas en los pies.
La abuelita es muy diferente de los demás. Una de las primeras noches que estaba con ella, Kalle, que no podía dormir, fue varias veces al baño que estaba al lado de su habitación. Y entonces lo vio: los dientes de la abuela estaban en un vaso de cristal. No se atrevía a tomarlos con los dedos porque temía que los dientes podrían morderle sin la abuelita.
Por la mañana le preguntó desde cuándo los dientes de las personas pueden sacarse de la boca. «Yo no lo puedo hacerlo».

Finalmente, hacia el final del tercer año, vemos una composición en bloque, como es habitual en los libros «normales».

# Composición de cartas

*En una ocasión, recibí una carta del responsable de una asociación de diseñadores solicitándome que colaborara en un comité.*

*La carta estaba compuesta en una Avant Garde de 10 puntos, composición en bloque, líneas muy largas, grandes agujeros entre las palabras, sin interlineado. Rechazé la invitación.*

**¿Escribir como si estuviese impreso?**

¿Debe una carta tener aspecto de carta o parecer impresa? ¿Era el tipo de la máquina de escribir una solución de emergencia para una circunstancia tipográfica provisional o constituye una parte esencial e imperecedera del género «carta»? ¿Debemos imitar la máquina de escribir con el ordenador o aprovechar sus posibilidades tipográficas? ¿Son los tipos monoespaciales, con los anchos iguales para todos los caracteres –como en la máquina de escribir– más adecuados para las cartas que los tipos de composición proporcionales? La decisión la debe tomar el que las escribe. Quien escriba sus cartas con tipos de composición, deberá dominar también las normas tipográficas más importantes.

Las líneas de las cartas no deberían ser más largas que las que muestran los ejemplos. El cuerpo de letras se escoge para que proporcione un efecto de «normalidad». Hay que evitar que piensen «¡Hala!, ¡qué pequeña!» o, «¡ay!, ¡qué grande!».

En la máquina de escribir, las distinciones eran muy burdas: espacio simple, espacio y medio, doble espacio, que equivalen a composiciones sin interlinedo, con media línea de separación y con una línea entera en blanco. En el ordenador, esto se corresponde más o menos a 10, 15 y 20 puntos. Los ejemplos que se muestran se han compuesto con un interlineado de 15 puntos.

Distinguidos señores:

Éste es un texto de prueba. Sirve para apreciar muchas cuestiones relacionadas con el tipo en que está compuesto. Con un simple vistazo puede apreciarse el gris del bloque tipográfico. También puede comprobarse la legibilidad del tipo y los efectos que éste produce en el lector. Puede constatarse lo ancho o lo estrecho de su ojo. Si nos fijamos, podemos observar los caracteres aislados y sus particularidades. Cuando se comparan tipos con cierta frecuencia, pueden reconocerse y nombrarse. Naturalmente, también es importante, a la hora de determinar la legibilidad y el efecto de un tipo, el tamaño en que se compone, cómo se estructura la tipografía y sobre qué se imprime.

Atentamente,

Distinguidos señores:

Éste es un texto de prueba. Sirve para apreciar muchas cuestiones relacionadas con el tipo en que está compuesto. Con un simple vistazo puede apreciarse el gris del bloque tipográfico. También puede comprobarse la legibilidad del tipo y los efectos que éste produce en el lector. Puede constatarse lo ancho o lo estrecho de su ojo. Si nos fijamos, podemos observar los caracteres aislados y sus particularidades. Cuando se comparan tipos con cierta frecuencia, pueden reconocerse y nombrarse. Naturalmente, también es importante, a la hora de determinar la legibilidad y el efecto de un tipo, el tamaño en que se compone, cómo se estructura la tipografía y sobre qué se imprime.

Atentamente,

Una mera **composición en bloque** no sólo es atípica para las cartas, sino que tampoco contribuye a la legibilidad. Provoca un malestar instintivo en el receptor.

Distinguidos señores:

Éste es un texto de prueba. Sirve para apreciar muchas cuestiones relacionadas con el tipo en que está compuesto. Con un simple vistazo puede apreciarse el gris del bloque tipográfico. También puede comprobarse la legibilidad del tipo y los efectos que éste produce en el lector. Puede constatarse lo ancho o lo estrecho de su ojo. Si nos fijamos, podemos observar los caracteres aislados y sus particularidades. Cuando se comparan tipos con cierta frecuencia, pueden reconocerse y nombrarse.

Atentamente,

**Composición en bandera sin particiones de palabras**
Aquí se producen casi necesariamente líneas de longitudes extremadamente diferentes. Por ello, el texto podría acabar estructurado contra toda lógica de sentido. Además, una carta compuesta de este modo produce un incómodo efecto de desunión.

Distinguidos señores:

Éste es un texto de prueba. Sirve para apreciar muchas cuestiones relacionadas con el tipo en que está compuesto. Con un simple vistazo puede apreciarse el gris del bloque tipográfico. También puede comprobarse la legibilidad del tipo y los efectos que éste produce en el lector. Puede constatarse lo ancho o lo estrecho de su ojo. Si nos fijamos, podemos observar los caracteres aislados y sus particularidades. Cuando se comparan tipos con cierta frecuencia, pueden reconocerse y nombrarse.

Atentamente,

Una carta compuesta **en bandera** como la que se muestra resulta cómoda de leer (lo cual tiene un efecto subliminal positivo). Si se componen cartas, hay que atender siempre a los saltos de línea con particiones de palabras que respeten el sentido (página 63) y a una superficie de bandera regular.

Las sílabas con menos de 3 letras no deben ser partidas.

Distinguidos señores:

Éste es un texto de prueba. Sirve para apreciar muchas cuestiones relacionadas con el tipo en que está compuesto. Con un simple vistazo puede apreciarse el gris del bloque tipográfico. También puede comprobarse la legibilidad del tipo y los efectos que éste produce en el lector. Puede constatarse lo ancho o lo estrecho de su ojo. Si nos fijamos, podemos observar los caracteres aislados y sus particularidades. Cuando se comparan tipos con cierta frecuencia, pueden reconocerse y nombrarse.

Atentamente,

En la época en que se escribía a mano, la carta era una comunicación muy personal. La redacción con máquina de escribir y con ordenador ha conservado y conserva algún rasgo de ese tiempo. Así, todos los papeles de carta transmiten algo del carácter particular de la empresa; tiene que ver con su CD *(Corporate design)*, que es parte de la CI *(Corporate identity)*. El papel de carta es una parte constituyente de la cultura empresarial.

El uso de sobres de ventana suele ser contrario a la tipografía individual de una carta, puesto que la posición de la dirección está sometida a la norma. Los tres ejemplos superiores muestran cómo puede solucionarse.

La pequeña superficie gris ocupa el lugar del logotipo de la empresa. Se evita imitar más líneas de datos y cosas por el estilo, porque lo que se pretende es ofrecer un esquema posible y no un modelo para la redacción de cartas auténticas.

Los tres bocetos inferiores muestran cómo, una vez liberados de las imposiciones de la ventana, sólo podemos cambiar la expresión meramente a través de las proporciones –excepción hecha del logotipo, que en la práctica siempre dominará, y de la expresión del tipo–.

También es importante el modo en que se pliega la carta. No resulta idóneo que el doblado pase por el saludo, por el nombre de una persona. En cambio, resulta muy elegante que lo primero que vea el destinatario al sacar la carta del sobre sea su nombre. Los filetes punteados indican el lugar por el que se doblaría.

**1**
Una carta comercial común para sobre de ventana. La dirección, los párrafos y las fórmulas de saludo se separan con media línea de espacio. Una forma de escritura anodina e impersonal.

**2**
Igual que la de la izquierda, pero en lugar de líneas vacías que separan párrafos, está compuesta con entradillas. La sensación general es de mayor calma y de un texto más recogido, con lo que resulta también más simpática.

**3**
De nuevo la misma carta con cambios en la ubicación de los bloques de texto dentro de la página. El efecto es más consciente y decidido que en los ejemplos anteriores. Sin embargo, debe tenerse en cuenta la extensión del texto (lo que ya no es ningún problema con las técnicas actuales de composición).

**4**
Una carta típica de jefe. Puesto que lo más probable es que con ella se traten temas de negocios especialmente difíciles, la atmósfera que emane la carta no debe en ningún caso evocar que se trata de una carta comercial. El derroche de espacio tiene un carácter simbólico. Por supuesto, el logotipo está en relieve seco, las líneas del remitente grabadas en acero, y todo sobre un papel noble.

**5/6**
Si no hay que tener en cuenta un sobre de ventana, se abre la posibilidad de una tipografía para cartas mucho más refinada e individualizada.

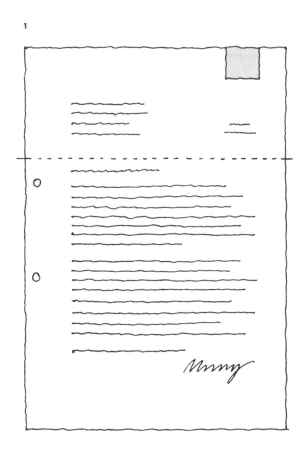

1

4

2

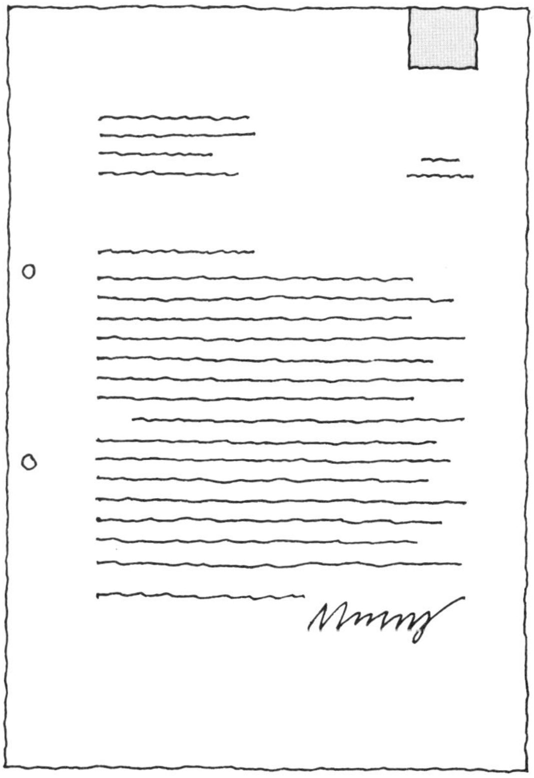

3

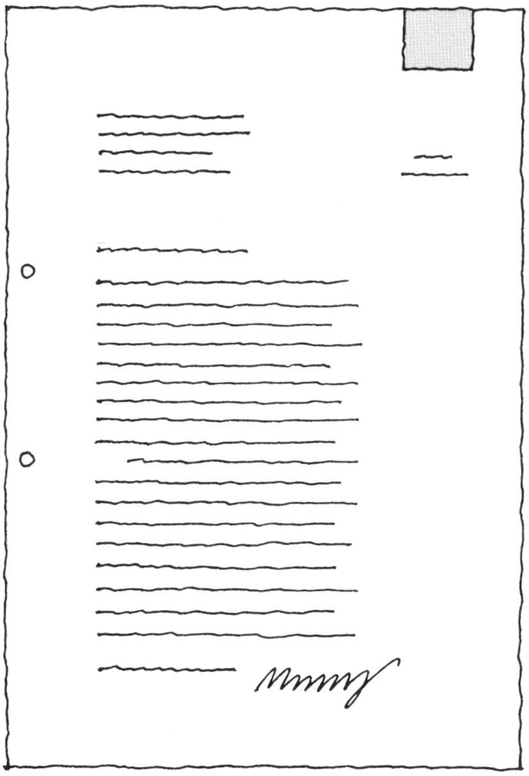

5

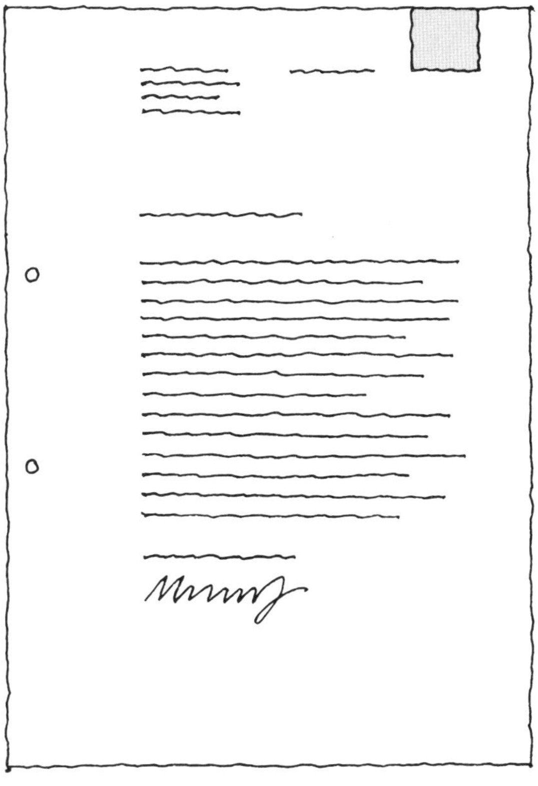

6

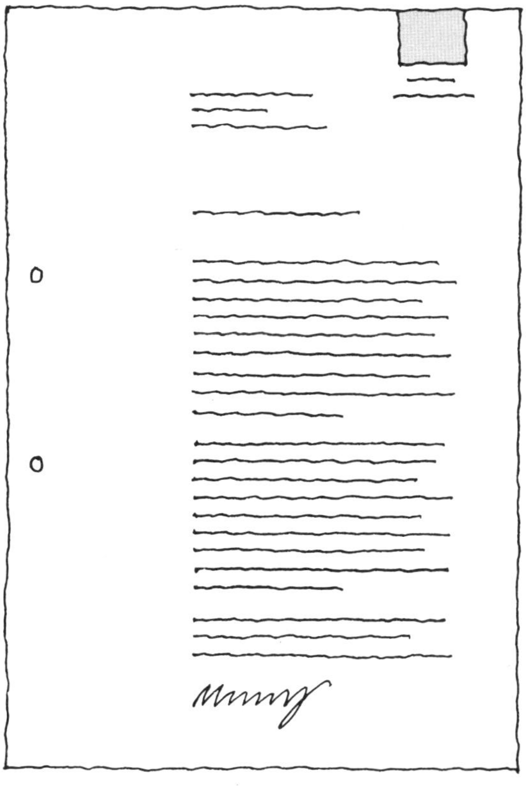

# Actas e informes

A menudo se exige a las secretarias que diseñen las actas de las reuniones, los informes internos y otros documentos por el estilo. Eso supone una demanda nada sencilla ni siquiera para tipógrafos profesionales.

Lo primero para asegurar buenos resultados es no ponerse a componer y esperar que los resultados sean los buscados, sino planificar el proyecto con esquemas sencillos, como los que se muestran en esta página.

**Ejemplo 1**

### Medios sencillos

Cuanta más variedad de tipos, cuerpos y pesos de letra distintos, o también elementos gráficos como subrayados, filetes, etc., tanto más difícil será la compaginación. Un consejo: no emplear más que dos tipos (claramente diferenciados).

### Estructuración clara

Los pesos y los cuerpos de letra de títulos y posibles subdivisiones deben poder distinguirse de un solo vistazo.

### Una disposición pensando en la encuadernación

Tanto si se perfora el papel como si se guarda el documento en una funda de plástico o se encuaderna, hay que determinar la posición de la caja de texto. En cualquiera de los casos hay que dejar un margen hasta el lomo lo suficientemente grande para que la lectura no se vea perjudicada por ningún medio.

### Una imagen unitaria

En primer lugar, hay que escoger un «estilo» tipográfico que, en principio, se mantendrá en todas las páginas.
Los dos ejemplos proponen posibilidades estilísticas.

### Sin cabezonerías

La legibilidad es la que manda; por ejemplo, los titulillos no deben quedar «pegados» al final de la página, sino que deben empezar en la siguiente. La diferencia de altura de las columnas quedará marcada al pie, y en ningún caso deberá intentarse compensar esta diferencia dentro de la misma columna de texto (véase página 64).

Tipografía alineada a la izquierda; sólo se imprimen las páginas derechas. A causa de los agujeros, la caja de texto se ha puesto muy a la derecha.
El tipo adecuado sería un palo seco bien legible, con títulos en negrita del mismo cuerpo que la letra de texto.
Los párrafos se separan con varias líneas en blanco.
Los números de página se sitúan abajo a la izquierda y haciendo caja con el texto.
La distancia de los títulos es siempre la misma, por ejemplo, dos líneas en blanco por encima y una por debajo.

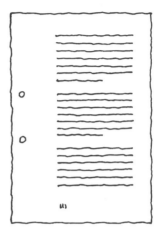 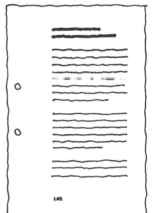

Todas las páginas, también las de títulos, empiezan a una misma altura y se conforman haciendo caja a la izquierda con el texto.

El índice de contenidos armoniza con la tipografía del texto.

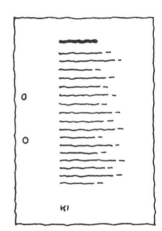

Ilustraciones, gráficos, etc., empiezan en el borde izquierdo de la caja.
No deben llenar necesariamente todo el ancho.

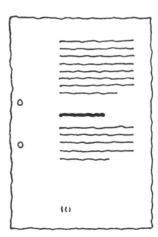 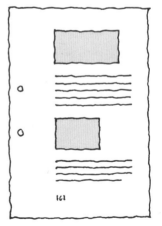

**Ejemplo 2**

Esta doble página es como una clásica doble página, con los bloques de texto orientados hacia el lomo. Se ha pensado en una romana, con los títulos en el tipo normal pero algunos cuerpos mayores. Los párrafos se sangran y las líneas no deben ser muy largas (véase página 31), aunque el formato de la página lo permita.
El número de página se sitúa abajo en el centro, y para los titulillos, centrados, se utiliza un cuerpo notablemente mayor, con separaciones iguales por encima y por debajo en todas las páginas.

La tipografía de la cubierta se corresponde con el principio de eje central.
Por el contrario, el índice de contenidos (véase página 90) no se compone siguiendo el eje central, sólo el título.

Las imágenes y los gráficos se centran y no deben necesariamente llenar la anchura de la caja de composición.

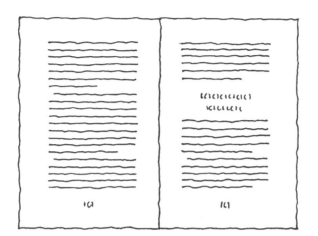
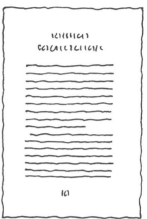

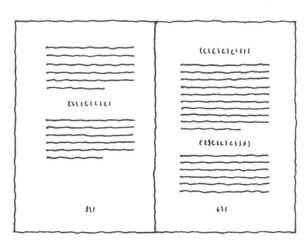
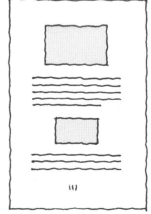

# El tipo en la pantalla

*«Creo que tendré que ir al oculista; necesito unas gafas nuevas».*
*No es eso. Lo que necesitamos es una mejor tipografía para la pantalla.*

Cuando oímos la expresión «tipografía», solemos pensar automáticamente en un tipo que se imprime sobre papel; y esto, de hecho, es lo que se desprende también de nuestros «primeros auxilios». Sin embargo, cada vez es más frecuente que los textos se lean directamente en la pantalla, y, aunque los principios de la tipografía sobre papel son también aplicables a ésta, hay casos especiales que imponen nuevas trabas a la lectura.

Un tipo sobre papel es estable, se queda allí para siempre; tanto si es bueno como si no lo es, ya no hay marcha atrás.

En cambio, un tipo sobre una pantalla no lo es. Líneas idénticas pueden parecer unas veces tranquilas y otras vibrantes, más o menos claras, mejor o peor definidas, con un fondo más o menos oscuro.

Los ejemplos muestran de forma esquemática lo que debe atenderse en la tipografía sobre pantalla; esta vez, no se trata de casos reales.

Éste es un texto de prueba. Sirve para mostrar la influencia que la proyección en una pantalla ejerce sobre la legibilidad y el efecto de la letra.

Un tipo normal sobre un fondo de pantalla claro no tendrá problemas de lectura –siempre que esté bien compuesto–.

Éste es un texto de prueba. Sirve para mostrar la influencia que la proyección en una pantalla ejerce sobre la legibilidad y el efecto de la letra.

El mismo tipo sobre un fondo más oscuro es un poco más difícil de leer.

Éste es un texto de prueba. Sirve para mostrar la influencia que la proyección en una pantalla ejerce sobre la legibilidad y el efecto de la letra.

Un tipo de más peso puede imponerse mejor a este entorno.

Éste es un texto de prueba. Sirve para mostrar la influencia que la proyección en una pantalla ejerce sobre la legibilidad y el efecto de la letra.

Si la pantalla parpadea (entre 75 y 90 Hz) la legibilidad se ve perjudicada.

Los principales errores de la tipografía para pantalla:
– líneas demasiado largas;
– tipo demasiado pequeño;
– tipo poco legible;
– demasiado texto, y
– saltos de línea incorrectos.

La tipografía destinada a la pantalla debe construirse de una forma más robusta que si fuera a imprimirse sobre papel. En este sentido, pueden formularse un par de reglas prácticas.

**1.** Los tipos para la pantalla no deben ser demasiado finos ni presentar demasiados contrastes internos. Debe evitarse que los caracteres sean difusos, que pierdan la relación entre ellos o que puedan confundirse.

**2.** Debe evitarse que los contornos de la letra se superpongan por sobreiluminación con los de letras vecinas. De lo contrario, las imágenes de las palabras resultarán sucias y confusas.

**3.** Leer en la pantalla requiere esfuerzo, por lo que debería ayudarse al lector con líneas de un máximo de 45 caracteres.

**4.** La información necesita ser separada del entorno. En los libros, los márgenes situados alrededor de los textos cumplen esta función; del mismo modo, en la tipografía para pantalla, los márgenes deben estar libres de información relevante.

**5.** Cuando las imágenes de las palabras se dejan un tanto abiertas, el espacio entre palabras no debe ser muy estrecho. Y si esta distancia se ensancha, deberá también ensancharse el interlineado.

**6.** Si se incluye letra en los gráficos, las tablas, las ilustraciones, etc., lo mejor es la composición en bandera con saltos de línea que respondan al sentido y sin particiones de palabras que puedan afear o confundir el resultado.

Éste es un texto de prueba. Sirve para apreciar muchas cuestiones relacionadas con el tipo en el que está compuesto. Con un simple vistazo puede apreciarse el gris del bloque tipográfico. También puede comprobarse la legibilidad del tipo y los efectos que éste produce en el lector.

Éste es un texto de prueba. Sirve para apreciar muchas cuestiones relacionadas con el tipo en el que está compuesto. Con un simple vistazo puede apreciarse el gris del bloque tipográfico. También puede comprobarse la legibilidad del tipo y los efectos que éste produce en el lector. Puede constatarse lo ancho o lo estrecho de su ojo. Si nos fijamos, podemos observar los caracteres aislados y sus particularidades. Cuando se comparan tipos con cierta frecuencia, pueden reconocerse y nombrarse. Naturalmente, también es importante, a la hora de determinar la legibilidad y el efecto de un tipo, el tamaño en el que se compone, cómo se estructura la tipografía y sobre qué se imprime. Éste es un texto de prueba. Sirve para apreciar

Éste es un texto de prueba. Sirve para apreciar muchas cuestiones relacionadas con el tipo en el que está compuesto. Con un simple vistazo puede apreciarse el gris del bloque tipográfico. También puede comprobarse la legibilidad del tipo y los efectos que éste produce en el lector. Puede constatarse lo ancho o lo estrecho de su ojo. Si nos fijamos, podemos

Éste es un texto de prueba. Sirve para apreciar muchas cuestiones relacionadas con el tipo en que está compuesto. Con un simple vistazo puede apreciarse el gris del bloque tipográfico. También puede comprobarse la legibilidad del tipo y los efectos que éste produce en el lector.

Éste es un texto de prueba. Sirve para apreciar muchas cuestiones relacionadas con el tipo en que está compuesto. Con un simple vistazo puede apreciarse el gris del bloque tipográfico. También puede comprobarse la legibilidad del tipo y los efectos que éste produce.

Tipo con demasiado contraste entre fuerzas de trazo. Demasiado estrecho, las imágenes de las palabras pueden confundirse.

Las líneas son demasiado largas, el cuerpo de letra demasiado pequeño y los márgenes demasiado estrechos. Cabe mucho texto en una misma página, pero la legibilidad se limita mucho.

Cuerpos mayores y líneas más cortas; el texto se concentra en la zona central. La legibilidad ha mejorado.

Los saltos de línea son lógicos, como también las particiones de palabras. En la columna de la izquierda, los saltos son «incorrectos», mientras que en la de la derecha responden a razones lingüísticas.

# Tipografía científica
## La compaginación de páginas y los títulos

*«Tú eras secretaria. Tengo que escribir una tesis y me gustaría que me enseñaras cómo lo puedo hacer».*

Un doctorando ha estudiado lo que tiene que escribir, pero «cómo» tiene que escribirlo es otra cuestión, ante la que se encuentra un tanto desamparado. Una tipografía confusa y de mala legibilidad acostumbra a estropear su trabajo.

Las indicaciones que ofrecen estos «primeros auxilios» para la tipografía de lectura y de detalles también sirven, por supuesto, para la tipografía científica. Se dan aquí unas indicaciones y consejos específicos para este campo, con el fin de evitar algunos errores comunes.

**La caja.** En una caja clásica, los márgenes deben ser proporcionados: el interior, o del lomo, tiene que ser menor que el de cabeza, éste menor que el exterior, o de corte, que a su vez deberá ser menor que el de pie (véanse las páginas 82 y 96). Una página nueva no debe empezar con la última línea de un párrafo; esta última (una «línea viuda») debe componerse como la última línea de la página anterior, y no supone ningún problema que las columnas presenten alturas distintas. Todas las líneas de todas las páginas deben mantener el registro. Para que esto sea posible, se colocará el número de página fuera de la caja de composición o con una distancia de dos líneas por debajo de la última del texto.

**Los títulos** hay que componerlos siempre en bandera con saltos de línea lógicos. Tampoco hay que completar las líneas que no acaben de llenar la caja.

Después de los títulos deben dejarse algunas líneas de texto, de lo contrario ambos pasan a la página siguiente, con lo que las últimas líneas de la página anterior se dejan en blanco.

Éste es un texto de prueba. Sirve para apreciar muchas cuestiones relacionadas con el tipo en que está compuesto. Con un simple vistazo puede apreciarse el gris del bloque tipográfico. También puede comprobarse la legibilidad del tipo y los efectos que éste produce.

## Título 1

Puede constatarse lo ancho o lo estrecho de su ojo. Si nos fijamos, podemos observar los caracteres aislados y sus particularidades. Cuando se comparan tipos con cierta frecuencia, pueden reconocerse y nombrarse. Naturalmente, también es importante, a la hora de determinar la legibilidad y el efecto de un tipo, el tamaño en que se compone.

### Título 2, aquí se ofrece como ejemplo un título más largo que ocupa dos líneas

Éste es un texto de prueba. Sirve para apreciar muchas cuestiones relacionadas con el tipo en que está compuesto. Con un simple vistazo puede apreciarse el gris del bloque tipográfico. También puede comprobarse la legibilidad del tipo y los efectos que éste produce en el lector. Puede constatarse lo ancho o lo estrecho de su ojo. Si nos fijamos, podemos observar los caracteres aislados y sus particularidades.

*Título 3*

Éste es un texto de prueba. Sirve para apreciar muchas cuestiones relacionadas con el tipo en que está compuesto. Con un simple vistazo puede apreciarse el gris del bloque tipográfico. También puede comprobarse la legibilidad del tipo y los efectos que éste produce en el lector. Puede constatarse lo ancho o lo estrecho de su ojo.

**Titulillo en línea.** Éste es un texto de prueba. Sirve para apreciar muchas cuestiones relacionadas con el tipo en que está compuesto. Con un simple vistazo puede apreciarse el gris del bloque tipográfico. También puede comprobarse la legibilidad del tipo y los efectos que éste produce en el lector. Puede constatarse lo ancho o lo estrecho de su ojo. Si nos fijamos, podemos observar los caracteres aislados y sus particularidades. Si se comparan tipos con cierta frecuencia, pueden recono-

Éste es un texto de prueba. Sirve para apreciar muchas cuestiones relacionadas con el tipo en que está compuesto. Con un simple vistazo puede apreciarse el gris del bloque tipográfico. También puede comprobarse la legibilidad del tipo y los efectos que éste produce.

## 3 Título 1

Éste es un texto de prueba. Sirve para apreciar muchas cuestiones relacionadas con el tipo en que está compuesto. Con un simple vistazo puede apreciarse el gris del bloque tipográfico. También puede comprobarse la legibilidad del tipo y los efectos que éste produce en el lector. Puede constatarse lo ancho o lo estrecho de su ojo.

### 3.1 Título 2, aquí se ofrece como ejemplo un título más largo que ocupa dos líneas

Éste es un texto de prueba. Sirve para apreciar muchas cuestiones relacionadas con el tipo en que está compuesto. Con un simple vistazo puede apreciarse el gris del bloque tipográfico. También puede comprobarse la legibilidad del tipo y los efectos que éste produce en el lector. Puede constatarse lo ancho o lo estrecho de su ojo. Si nos fijamos, podemos observar los caracteres aislados y sus particularidades.

#### 3.1.1 Título 3

Éste es un texto de prueba. Sirve para apreciar muchas cuestiones relacionadas con el tipo en que está compuesto. Con un simple vistazo puede apreciarse el gris del bloque tipográfico. También puede comprobarse la legibilidad del tipo y los efectos que éste produce en el lector. Puede constatarse lo ancho o lo estrecho de su ojo. Si nos fijamos, podemos observar los caracteres aislados y sus particularidades.

3.1.1.1 *Tíulo 4*
Cuando se comparan tipos con cierta frecuencia, pueden reconocerse y nombrarse. Naturalmente, también es importante, a la hora de determinar la legibilidad y el efecto de un tipo, el tamaño en que se compone, cómo se estructura la tipografía y sobre qué se imprime.

En la página de la izquierda, tenemos un ejemplo de una **jerarquía de títulos** con cuatro niveles sin numerar. Esta jerarquía debe quedar clara, aunque no se vean los cuatro tratamientos distintos en una misma página.
1er nivel: seminegra, cuerpo mayor, con dos líneas en blanco por encima y una por debajo.
2º nivel: seminegra, del tipo base, una línea en blanco por encima y otra por debajo.
3er nivel: cursiva del tipo base, una línea en blanco por encima.
4º nivel: titulillo en línea. Seminegra del tipo base, compuesta al principio de la línea.

En la página de la derecha, observamos una **jerarquía de títulos** con numeración decimal. El hecho es que con esta posición del número ya queda claro el significado, pero siempre es mejor contribuir a la diferenciación con medios tipográficos.
La experiencia nos enseña que no hay que exceder de cuatro niveles de títulos, puesto que si lo hacemos confundiremos a nuestro lector.

Al componer los títulos se tiene en cuenta cuál será el número más largo para respetar la alineación a la izquierda.
1er nivel: seminegra, cuerpo mayor, con dos espacios interlineales en blanco por encima y uno por debajo.
2º nivel: seminegra del tipo base, con un espacio interlineal en blanco por encima y otro por debajo.
3er nivel: tipo base, con un espacio interlineal en blanco por encima y otro por debajo.
4º nivel: cursiva del tipo base, con un espacio interlineal en blanco por encima.

La jerarquía siempre puede ampliarse o modificarse de acuerdo con la estructura del texto.

Buscar y no encontrar: una consecuencia de la mala tipografía; tanto en grandes diccionarios como en los detalles de las notas al pie, los índices o las tablas.

## Párrafos y secciones

Los párrafos se señalan con una entradilla de unos 4 mm, mientras que las distintas secciones se marcan con una línea en blanco y, para distinguirlas de aquéllos, no se les pone entradillas.

Ésta es una regla avalada por la experiencia que, con todo, debe dejarse a un lado con cierta frecuencia, como puede ser el caso de textos plagados de formas y gráficos.

## Notas al pie

Las llamadas dentro del texto son una oferta que el lector puede tomar o dejar. Por ello, se componen voladas y en cuerpos pequeños.

Hay que asegurar que el que acepta la oferta y busca la nota al pie, pueda encontrarla. Para ello, los números de las notas al pie, las notaciones, deben componerse en el mismo cuerpo que la propia nota: ni pequeño ni volado.

El cuerpo de las notas al pie debe ser sensiblemente menor que el del tipo base. En los textos muy estructurados, con datos y nombres, se recomienda la composición en bandera.

Éste es un texto de prueba. Sirve para apreciar muchas cuestiones relacionadas con el tipo en que está compuesto. Con un simple vistazo puede apreciarse el gris del bloque tipográfico. También[1] puede comprobarse la legibilidad del tipo y los efectos que éste produce en el lector. Puede constatarse lo ancho o lo estrecho de su ojo. Si nos fijamos, podemos observar los caracteres aislados y sus particularidades. Cuando se comparan tipos con cierta frecuencia, pueden reconocerse y nombrarse. Naturalmente, también es importante, a la hora de determinar la legibilidad[2] y el efecto de un tipo, el tamaño en que se compone, cómo se estructura la tipografía y sobre qué se imprime. Éste es un texto de prueba. Sirve para apreciar muchas cuestiones relacionadas con el tipo en que está compuesto. Con un simple vistazo puede apreciarse el gris del bloque tipográfico. También puede comprobarse la legibilidad del tipo.

1   Se puede medir lo ancho o lo estrecho de su ojo.
2   Si nos fijamos, podemos observar los caracteres aislados y sus particularidades.

## Índices bibliográficos

Las bibliografías suelen estar muy estructuradas. Por ello hay que componerlas en bandera, lo cual posibilita saltos de línea adecuados que evitan que se separen datos o nombres interdependientes.

Dependiendo de la complejidad, un índice bibliográfico puede componerse con un solo tipo o se pueden diferenciar con las variantes seminegra, cursiva y regular del mismo. El uso de versalitas –que en principio son muy apropiadas– exige un tratamiento muy diferenciador (*véase* la página 59), por lo que no la recomendamos.

Los nombres de los autores, con entradilla y en seminegra. El título de la obra, en cursiva.

**Acosta, V.** *La evaluación del lenguaje: Teoría y práctica del proceso de evaluación de la conducta lingüística infantil,* Archidona, 1996.
**Chin, J. D., Adesia, I., Wolf, E. D., Tiberio, R. C.** *Reactive ion etching,* J. Vac. Sci. Technol., 19 (4), nov./dic., 1981.
**Ramadhoe, E. H.** *Lettertypen en hun boeken,* Museum voor drukkunst Brugge, 1982.
**Gronius, J. W., Rauschenbach, B.** *Stücke 2,* Weidle Verlag, Bonn, 1997.

Todo en un mismo tipo. La sangría francesa destaca los autores.

Acosta, V. *La evaluación del lenguaje: Teoría y práctica del proceso de evaluación de la conducta lingüística infantil,* Archidona, 1996.
Chin, J. D., Adesia, I., Wolf, E. D., Tiberio, R. C. *Reactive ion etching,* J. Vac. Sci. Technol., 19 (4), nov./dic., 1981.
Ramadhoe, E. H. *Lettertypen en hun boeken, Museum voor drukkunst* Brugge, 1982.
Gronius, J. W., Rauschenbach, B. *Stücke 2,* Weidle Verlag, Bonn, 1997.

Los registros se separan con un espacio en blanco de media línea. De este modo, las entradillas resultan innecesarias.

Acosta, V. *La evaluación del lenguaje: Teoría y práctica del proceso de evaluación de la conducta lingüística infantil,* Archidona, 1996.

Chin, J. D., Adesia, I., Wolf, E. D., Tiberio, R. C. *Reactive ion etching,* J. Vac. Sci. Technol., 19 (4), nov./dic., 1981.

Ramadhoe, E. H. *Lettertypen en hun boeken, Museum voor drukkunst* Brugge, 1982.

Gronius, J. W., Rauschenbach, B. *Stücke 2,* Weidle Verlag, Bonn, 1997.

## Índices y tablas

### Índices

Los índices suelen componerse en dos o tres columnas, que no deben tener la misma altura («pies danzantes», véanse páginas 64/65).

Para el tipo de los índices puede escogerse un cuerpo pequeño, ya que no habrá que leer una gran cantidad de texto.

Los índices se componen siempre en bandera, y las líneas casi completas no se llevan hasta los extremos de la caja. Una línea que pasa a la siguiente tendrá una entradilla.

Un índice puede componerse con un mínimo de recursos tipográficos y cumplir perfectamente todas sus funciones, pero también las diferenciaciones tipográficas pueden ser muy pertinentes.

Un ejemplo de una triple diferenciación para los números de referencia.
Cuando un grupo de texto distinguido con sangría debe separarse por un cambio de columna o de página, el titulillo en línea se repetirá al principio de la segunda parte entre corchetes.

### Tablas

La forma tipográfica de las tablas depende de la estructura de su contenido. Aquí no podemos tratar esta cuestión en profundidad, pero valgan como primeros auxilios un par de indicaciones básicas.

La anchura y la altura de una tabla vienen determinadas por su construcción interna y no por exigencias tipográficas externas.

La inteligibilidad y la claridad deben conseguirse con los mínimos recursos tipográficos posibles.

En las celdas en las que haya que componer varias líneas, éstas se separarán siguiendo criterios lógicos.

Una tabla desordenada, con eje central y que lleva las líneas hasta los topes de la caja.

La misma tabla con un tipo palo seco justificado a la izquierda. El ancho resulta de las divisiones regulares dentro de las celdas. Si sobra espacio, se deja a la derecha.

De nuevo la misma tabla, sin los filetes verticales de división. Las líneas horizontales corresponden al ancho de la caja. La tabla se construye regularmente de izquierda a derecha y el espacio sobrante en las líneas se deja a la derecha.

|  | pues esto | o hacerlo de otro modo | por el objeto |
|---|---|---|---|
| Así de largo | como aquel | debería venir | por los motivos |
| Desarrollar la idea | por eso | eso | aquí dentro puede caber |
| De esto también hay algo | si no al fin | está dentro | por eso |
| Puede verse en medio | hacer | a alguien | como aquél |

|  | pues esto | o hacerlo de otro modo | por el objeto |
|---|---|---|---|
| Así de largo | como aquel | debería venir | por los motivos |
| Desarrollar la idea | por eso | eso | aquí dentro puede caber |
| De esto también hay algo | si no al fin | está dentro | por eso |
| Puede verse en medio | hacer | a alguien | como aquél |

|  | pues esto | o hacerlo de otro modo | por el objeto |
|---|---|---|---|
| Así de largo | como aquel | debería venir | por los motivos |
| Desarrollar la idea | por eso | eso | aquí dentro puede caber |
| De esto también hay algo | si no al fin | está dentro | por eso |
| Puede verse en medio | hacer | a alguien | como aquél |

### Índices de contenidos

La creación de índices de contenidos constituye también una de las tareas más complicadas. Aquí ofreceremos tan sólo unos pocos consejos de seguridad.

En todos los índices de contenidos de cualquier tipo: todas las líneas deben componerse **en bandera** con saltos de línea lógicos. Como siempre, tampoco las líneas que ocupen casi todo el ancho de la caja deben llenarse hasta completarlo.

La jerarquía de títulos debe poder comprenderse a primera vista, no sólo por la estructuración, sino también por el tratamiento tipográfico.

Las remisiones a los números de página son todas iguales, por lo que no comparten la diferenciación correspondiente a «su» línea.

Las líneas que pasan a la siguiente se compondrán con el interlineado normal, sin entradilla.

La jerarquía de títulos de un índice de contenidos no debe reflejar el tratamiento de los títulos en el texto (por ejemplo, versal = versal, seminegra = seminegra, etc.); pero sí debe ser fiel al carácter de la tipografía del texto, de modo que no se utilizará ningún tipo o elemento de diferenciación que no haya aparecido dentro del texto.

Las líneas del índice de contenido mantienen el registro; si procede, este registro será de media línea, es decir, que se mantendrán siempre distancias llenas o vacías de esta medida. Las páginas del índice de contenidos no deben constreñirse a la misma altura (no hay nada que imponga una justificación vertical; véase la página 65).

### Ejemplo 1

Todo está compuesto en el tipo base del texto de la obra. Los cuatro niveles:
– seminegra sin entradilla
– regular sin entradilla
– regular con entradilla
– cursiva con entradilla

### Ejemplo 2

La numeración ordinal comparte un mismo eje a la izquierda. No se emplea la diferenciación que proporcionarían la seminegra o la cursiva.
Las líneas de títulos también se justifican a la izquierda con un eje común.
Por encima y por debajo de los títulos de primer rango, se deja un espacio en blanco de media línea, siempre que no haya que componerlo como en el ejemplo 1.

### Ejemplo 3

Las letras y los números que marcan el orden reciben el mismo tratamiento que las líneas de título. Se justifican a la izquierda con un eje común, al igual que las líneas.
1er nivel: seminegra, media línea en blanco por encima y por debajo.
2° nivel: seminegra, sin distancias añadidas.
3er nivel: normal.
4° nivel: cursiva, con entradilla de las letras del esquema.

Suele ocurrir que en los índices de contenidos encontramos los números de páginas justificados a la derecha. En estos casos, se hace necesaria la ayuda de un filete, aunque si se trata de líneas cortas y cajas anchas también así persiste el riesgo de perder la línea y de equivocarnos.

Los puntos conductores (filete puntillado), ahora en desuso, evitan muy bien la confusión. Entre uno y otro punto debe haber una distancia aproximadamente igual a la que se use entre palabras y deben colocarse con precisión unos debajo de otros, sin cambios entre las filas. El espacio anterior y posterior a la fila de puntos debe ser mayor que el espacio entre palabras.

Si se opta por componer el número de páginas al lado de los títulos, no es necesaria ninguna ayuda para dejar claras las relaciones. No obstante, si al final de la línea de texto hay algún número, será preciso separar el número de página con una raya, precedida y seguida de un espacio doble.

En los índices de contenido compuestos en dos columnas en composición en bloque, puede ocurrir que los números estén más cerca de la línea del bloque vecino que del título al que corresponden, lo cual resulta confuso.

Por tanto, en los índices de contenido a dos columnas siempre deberán componerse los números al lado de los títulos.

# Gráficos: atrayentes, ilustrativos, sobrios

En los informes anuales de las empresas o en el trabajo científico, es común que haya que exponer e ilustrar hechos con la ayuda de gráficos de todo tipo. Resulta muy sugerente presentar los gráficos de columnas, de líneas, los diagramas circulares o los gráficos con tonos degradados para ofrecer datos coordinados con el despliegue de medios más atractivo posible. Con su programa habitual, también podrá obtener los resultados más refinados.

Sin embargo, existe el peligro de que los gráficos dominen el texto cuando su único cometido es ilustrarlo. En ocasiones, una presentación más modesta sirve mejor a nuestros propósitos, mientras que otras, como puede ser en la tipografía de revistas, donde las páginas de texto deben convivir con la publicidad, el encanto del despliegue de medios resulta más pertinente.

Los ejemplos pretenden mostrar algunas de las múltiples posibilidades de la representación gráfica. Quieren dejar patente que distintos niveles de abstracción son posibles para hacer comprensibles los hechos, a la vez que se encuentra una forma estéticamente adecuada.

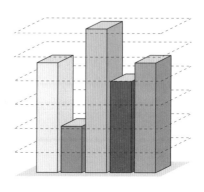

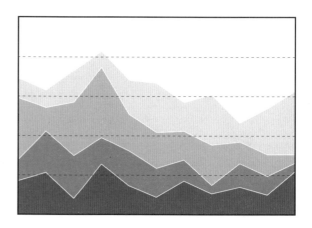

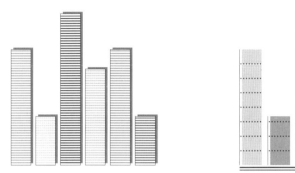
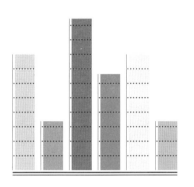
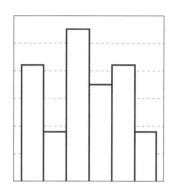

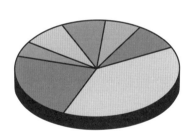
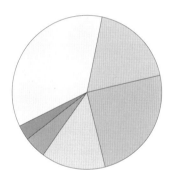
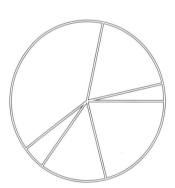

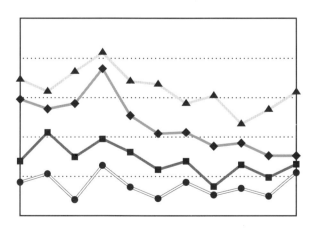
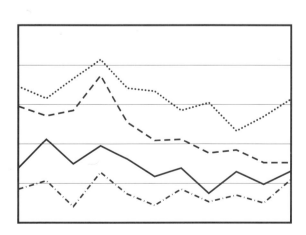

En conferencias y clases, suelen proyectarse diagramas con fines ilustrativos. En la mayor parte de las ocasiones, los preparan los propios autores, que dominan la materia y el programa informático y disfrutan explotando sus posibilidades. No obstante, no es tan común que dominen la tipografía y, ahora, no nos referimos a una disposición agradable, sino a la cuestión de cómo se leerá y se entenderá.

**Arriba**
La presentación que un científico utiliza en una conferencia (en el original en color). Encontramos dos problemas principales de lectura:
– La inversión del sentido habitual de la lectura: la información de partida se sitúa al pie del diagrama, debajo de unas explicaciones que en realidad se subordinan a aquella.
– El uso de los cuerpos de letra no permite adivinar la jerarquía de los conceptos.
A ello hay que añadir superposiciones de texto sobre superficies tramadas que dificultan la lectura.

**Abajo**
Para la reproducción en blanco y negro del diagrama en una publicación, los aprendices de una imprenta trabajaron en el gráfico, intentaron mejorar la relación entre el espacio y el tipo y clarificar los cuerpos de letra. Sin embargo, se conservaron los principios constructivos.

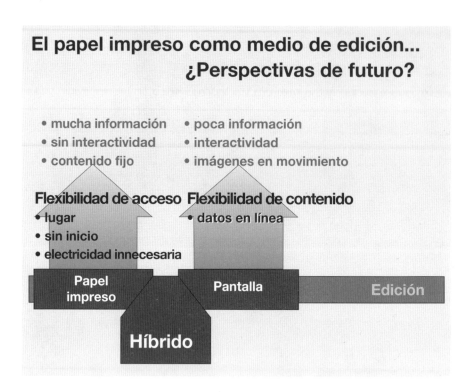

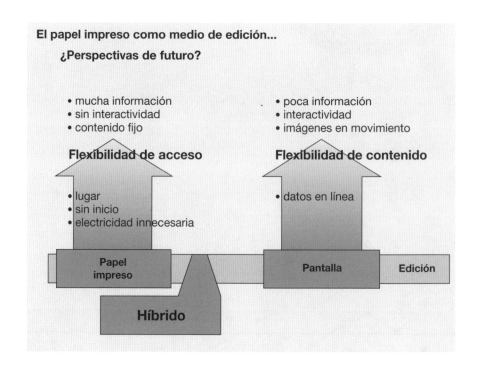

Un intento de los «Primeros auxilios en tipografía» de entender la intención de su autor e intentar componer un diagrama que mejore la comprensión y la comodidad de lectura: un título claramente separado, diferencias patentes entre cuerpos de letra, sin superposición de espacios ni letras y un diseño pensado para leerse de arriba abajo.

Puesto que las flechas indican direcciones o desarrollos múltiples y no una relación constante, ofrecemos, abajo, otra composición más tabular en la que se despliega menor cantidad de medios.

En la creación de gráficos:
  En primer lugar, hay que reflexionar bien sobre las relaciones que quieren representarse.
– Deben considerarse las costumbres de visión y lectura de los destinatarios.
– Hay que escoger un tipo legible.
– La jerarquía de los cuerpos de letra tiene que quedar clara.
– No debemos dejarnos llevar por las posibilidades del programa.
– Debe primar la comprensión por encima del atractivo visual.
– No hay que dejar de lado el atractivo del gráfico.

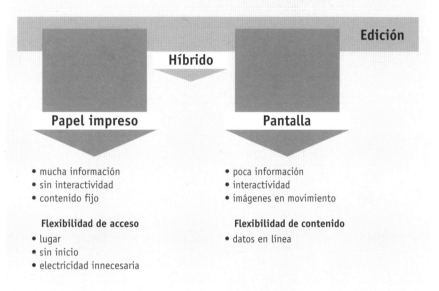

El papel impreso como medio de edición...
¿Perspectivas de futuro?

Edición

Híbrido

**Papel impreso**

**Pantalla**

• mucha información
• sin interactividad
• contenido fijo

**Flexibilidad de acceso**
• lugar
• sin inicio
• electricidad innecesaria

• poca información
• interactividad
• imágenes en movimiento

**Flexibilidad de contenido**
• datos en línea

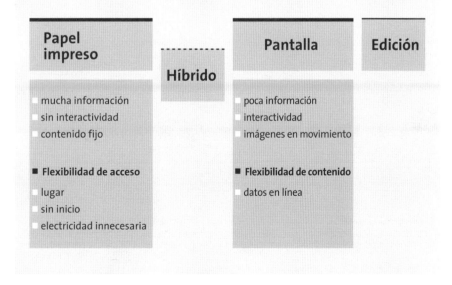

El papel impreso como medio de edición... ¿Perspectivas de futuro?

| Papel impreso | Híbrido | Pantalla | Edición |
|---|---|---|---|
| mucha información | | poca información | |
| sin interactividad | | interactividad | |
| contenido fijo | | imágenes en movimiento | |
| ■ Flexibilidad de acceso | | ■ Flexibilidad de contenido | |
| lugar | | datos en línea | |
| sin inicio | | | |
| electricidad innecesaria | | | |

Lo último que se hace es lo primero que se debe tener en cuenta: la encuadernación. Ocurre a menudo que, si no e piensa en el plegado, el cortado y el encolado o cosido, el diseño tipográfico resulta inadecuado.

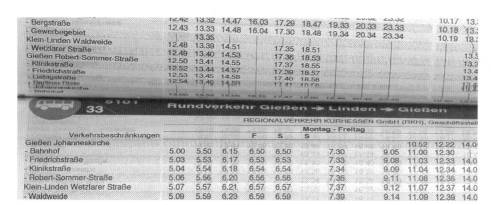

Si no se puede abrir del todo el horario, tampoco se puede saber si el autobús se ha ido ya.

En la pantalla tenía un aspecto excelente, pero una vez encuadernado ya no tanto: no se tuvo en cuenta la pérdida de espacio que ocasionaría el encolado de la cubierta sobre la primera página del bloque del libro.

Unas veces, la letra del índice tiene mucho aire para respirar, y otras lo pierde unas páginas más adelante.

122

536

La numeración de las páginas va variando de altura en todo el libro. La culpa no es sólo de una diferencia de plegado, sino del tipógrafo, que no prestó la atención suficiente.

Reproducciones al 100 %.

### Encolar

Los pliegos que forman un libro –ya sea un catálogo de 48 páginas o un libro grueso– deben encolarse por el lomo. Las diferentes colas tienen también efectos distintos en términos de fuerza de sujeción, lo cual influye en la facilidad con que se abren las hojas. Esto debe tenerse muy en cuenta a la hora de diseñar la caja tipográfica. Sirva esta regla práctica:
Al encuadernar, si se trata de una encuadernación con cola caliente (Hotmelt), el medianil, esto es, la distancia desde el lomo a la caja de texto debe ser como mínimo de 14 mm, mientras que si se encuaderna con cola fría (dispersión) la distancia adecuada es de 10 mm.

La posibilidad de abrir más o menos las páginas depende también del grosor del bloque de pliegos. Cuanto más grueso, mayor debe ser el margen blanco en el lomo.

La cubierta de cartulina de catálogos o las guardas de la encuadernación en tapa dura deben unirse a la primera página del bloque del libro, con lo que se «comen» entre 3 y 5 mm que deberán tenerse en cuenta al planificar la primera página. La aplicación excesivamente rígida de un diseño tipográfico puede dar resultados molestos en este caso.

### Corte

Técnicamente no es posible cortar con precisión medida al milímetro todo el bloque de una obra impresa. Por tanto, todos los elementos que llegan a los bordes de la página (imágenes, sombreados, filetes) deben tener 3 mm de más para el corte («a sangre»).

*La vida nos lo enseña: el
destino de un viaje está siempre
en el lomo del mapa de
carreteras.*

**97**

## Desplazamiento del papel

El papel tiene volumen, algunas hojas son delgadas y otras gruesas. Si se dobla una hoja de papel en «pliegos» de 8, 16 o incluso 32 páginas, la página abierta no es regular, sino que las capas interiores se ven empujadas por la fuerza del papel. Cuanto más grueso sea el papel, mayor será la diferencia de anchuras. Una obra impresa puede componerse de muchas capas de este tipo que, más tarde, deben cortarse para que todas presenten la misma anchura.

Esto tiene ciertas consecuencias que debe atender el diseño tipográfico, puesto que todo lo que se sitúe cerca del margen de la hoja peligra. Por ejemplo, los márgenes que rodean las imágenes, son mayores en las páginas externas que en las internas. En páginas con márgenes pequeños, la diferencia puede resultar molesta.

El **plegado** del papel no influye sólo en la anchura de la página. La altura también se ve afectada por las diferencias prácticamente inevitables que ocasiona el plegado y el corte. Si se coloca muy alto el título de la página y muy bajo el folio numérico, se corre el peligro de que las diferencias de plegado se aprecien muy claramente. Esto es sobre todo válido para los filetes que se colocan en dobles páginas: es un recurso que sólo debe plantearse en productos que se confeccionen con el máximo cuidado (y con el precio correspondiente), pero no con los que tienen presupuesto limitado.

**Izquierda**: así lo planificó el tipógrafo.
**Derecha**: así quedó. No se tuvieron en cuenta las diferencias que ocasiona el corte.

Desplazamiento de papel en uno y varios pliegos. La línea roja muestra la situación del corte.
Abajo, el resultado: las ilustraciones tienen márgenes desiguales.

Página derecha, margen derecho de una página «exterior» (de una capa).

Página derecha, margen derecho de una página «interior» (de una capa).

Diferencias de plegado que se producen en el corte.

A la hora de diseñar una obra se debe tener en cuenta su posterior encuadernación, si será en rústica o en tapa dura. La encuadernación es la parte final del proceso de creación, pero debe planificarse como primer paso.

El método más sencillo es coser el pliego al lomo con grapas o –como modo más fino y más caro– con hilo vegetal. El número de páginas que podrán componer estos pliegos depende del grosor del papel. Con papel fino, a veces puede llegarse a las 300 páginas, pero con papel edición de gran volumen el límite es de 48 páginas.
(Tipos de papel: véase página 34; desplazamiento del papel: página 97.)

Para conformar todo el bloque del libro, se unen varios de estos pliegos.
Para la **encuadernación con cola,** las páginas se fresan primero y después se encolan juntas al lomo.
En la **encuadernación cosida,** los pliegos se cosen juntos para formar el bloque y éste a su vez es encolado al lomo.

El bloque del libro resultante puede encuadernarse en rústica o en tapa dura. En el primer tipo de encuadernación (que puede ser un libro de bolsillo), la cubierta se pega directamente al lomo del bloque del libro, de modo que al abrir las páginas éste se dobla. La encuadernación en tapa dura, en cambio, deja un hueco en el lomo. Esto facilita la apertura de las páginas y la conservación del libro, pero exige un proceso más complejo.
En ambos métodos existen muchas variantes que tienen efectos distintos en el diseño. Por ello es tan importante que se planifique con anticipación.

Unión de un cuaderno por el lomo del pliego. Toda la superficie de la cubierta se pone a disposición del diseñador.

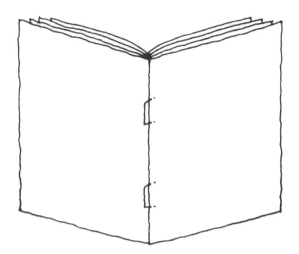

Encuadernación en rústica con lomo hendido dos veces. El diseñador dispone de toda la superficie de la cubierta.

Una rústica hendida cuatro veces se mantiene mejor. En el diseño hay que tener en cuenta el hendido de cortesía que se produce en cubierta y contracubierta para evitar que moleste visualmente.

Aparentemente el diseñador no fue informado del hendido de cortesía.

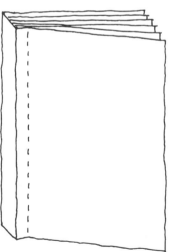

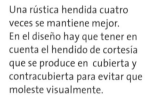

**Encuadernación en tapa dura**

La encuadernación en tapa dura es típica de los tirajes editoriales. Pero el aumento del *printing on demand*, es decir, la producción de ediciones pequeñas y mínimas –como pueden ser las tesis–, una de cuyas metas no sólo es producir cubiertas de papel o cartulina, sino también cubiertas para tapa dura, acarrea varios problemas.

En la encuadernación en tapa dura, por ejemplo en obras editoriales, discursos, calendarios en formato de libro o libros de invitados, las condiciones técnicas tienen una mayor influencia en el diseño tipográfico que en el caso de las encuadernaciones en rústica. El libro es un objeto tridimensional, y esto hay que tenerlo en cuenta.

En el diseño de las cubiertas para tapa dura debe respetarse el hendido con el fin de que no se pierdan en él partes de imágenes o de texto.

Para forrar las tapas existen diferentes materiales:
– papel,
– tela,
– piel,
– piel sintética,
– plástico.

Todos los materiales tienen sus particularidades, algunos sólo sirven para la estampación con película o en relieve, otros también para la serigrafía o el *offset*. De ello depende el diseño.

Es evidente que el diseñador no conocía la función de la bisagra.

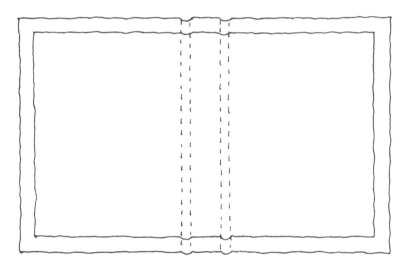

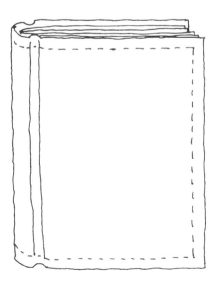

Cuando se diseña una cubierta para tapa dura con estampaciones hay que tener en cuenta la dobladura del material del forro hacia el dorso de la tapa, que aumenta el grosor de la tapa en estas zonas. Aquí se tienen que evitar estampaciones. En forros impresos no existe este problema.

Los términos técnicos de la composición y la tipografía han cambiado tanto con la introducción de la terminología informática que en ocasiones pueden producirse problemas de comprensión.

En este índice se recogen los conceptos que han empleado los autores a lo largo de la obra.

Algunas expresiones se explican más, mientras que otras, que se han tratado en profundidad en el texto, contienen una remisión a la página correspondiente; de vez en cuando, hay explicaciones dobles. Se ha optado por no incluir las palabras de uso general y las que no presentan problemas de comprensión. Por otro lado, se incluyen otros conceptos que no aparecen en el texto, pero que pueden ser útiles en el contexto.

**cursiva**
Letra de posición inclinada cuyo aspecto se corresponde a la letra correspondiente de trazos verticales, pero cuya forma se corresponde con una evolución propia.
52, 59

**descendente** → ascendente

**desplazamiento del papel**
Desplazamiento de las páginas al doblar las hojas.
97

**detalles de composición**
→ microtipografía

**dirección de la fibra**
32

**dirección del trazo**
28, 29

**distorsionar**
26, 27

**dpi** (→ ppp)
41

**egipcia** (romana lineal con remates acentuados) Letras con remates de gran fuerza y escaso contraste entre los trazos (→ romana).
19, 23, 33, 36, 37, 40

**encolado**
Unión de las páginas de un bloque de pliegos con un material adherente (→ encuadernación termoplástica) en oposición al cosido.
96, 98

**encuadernación** → tapa dura → rústica
98, 99

**encuadernar**
82, 86, 98

**espaciado**
Distancia general entre los caracteres de un tipo, en oposición al espaciado individual entre pares de letras.
17, 28, 29

**espaciar**
Ampliación de la distancia entre caracteres con fines diferenciadores o por motivos estéticos.
53, 61

**espacio entre palabras**
La distancia (variable) entre las palabras de una misma línea.
17, 28, 30, 50, 76, 77

**espacio entre caracteres**
17, 28, 29

**estilo de pluma ancha**
Forma de escritura producida por el corte plano de la pluma de caña, de quilla o de acero, con la que se acentúan los trazos gruesos y delgados y las partes redondas de la letra se inclinan hacia la izquierda.
19, 23

**estilo de pluma fina**
Diferenciación extrema entre trazos finos y gruesos de una letra que se consigue gracias al trazado con una pluma fina.
19

**estructurar, estructuración**
82

**filete**
Trazo más largo que ancho.
53

**folio numérico**
Número de página.
83, 86, 88

**fotocomposición**
Exposición de los caracteres a través de un negativo fotográfico.
29

**fuente**
Conjunto de variables gráficas de una familia tipográfica.
19

**fuerza de línea**
19

**gótica de forma**
La variante más joven (1540) de las → letras quebradas.
9, 12

**gráfico**
Representación gráfica de relaciones, estadísticas, etc.
94, 95

**grapado**
Unión de los pliegos con pinzas de alambre.
98

**gris tipográfico** (→ color tipográfico)

**grosor**
El ancho, de las letras individuales, incluyendo el espacio que las precede y las sigue, esto es, el hombro que se deja con las letras vecinas.

**guión**
Signo de división utilizado al final de una línea. Se utiliza también entre palabras compuestas y entre números para indicar un intervalo. No hay que confundirlo con la → raya o el → menos.
58, 60

**ilustraciones**
72, 73

**imagen de palabra**
22, 29, 30, 75-77, 85

**imposición de cabeza**
Distancia entre el margen de cabeza y el inicio de la superficie impresa (→ medianil).
86

**impresión**
Transmisión de elementos de escritura, imagen, etc., sobre un medio de impresión, como puede ser el papel. Existen distintas técnicas de impresión: impresión en relieve, *offset*, huecograbado o impresión serigráfica.
41-49

**impresión digital**
Método de impresión que se combina con la impresión por ordenador, en especial con impresoras láser. De menor calidad que la impresión *offset*, pero muy económico para ediciones pequeñas.
41

**impresión en bicromía**
Impresión de imágenes en dos colores, mayoritariamente el negro con gris, con el fin de obtener una mayor riqueza de tonalidades intermedias y partes de imágenes con un oscuro más intenso.
41, 43, 44

**impresión por ordenador**
Reproducción de los elementos de la composición como el tipo, las imágenes y los filetes por medio de una impresora láser o de inyección de tinta. No debe confundirse con la edición mediante máquinas de impresión.
41

**índice bibliográfico**
→ bibliografía

**índice de contenidos** (tabla de materias)
63, 64, 82, 83, 90

**índices temáticos**
89

**interlineado**
Distancia entre las líneas, medida desde un pie de línea (la línea base sobre la que se coloca la x) a otro. En la indicación para la composición, se indica, por ejemplo: 10/12 puntos = 10 puntos de cuerpo de letra con un espacio entre líneas de 12 puntos. Esto equivale a 10 puntos con un interlineado de 2 puntos. El interlineado indica el espacio entre las líneas. En la composición en plomo, se conseguía gracias a regletas de plomo fundido.
16, 17, 28, 30, 31, 54, 64, 76, 88

**justificación vertical**
(→ justificar)

**justificar**
1. Ampliar el → espacio entre palabras para llenar el ancho de la caja.
2. Ampliar el → interlineado para llenar toda la altura de la caja (justificación vertical).

**sangría**
Desplazamiento de una línea, dejando un espacio vacío a su izquierda, por ejemplo, para señalizar el comienzo de un nuevo párrafo.

**sección**
Separación de distintas partes de un texto, por ejemplo, mediante líneas en blanco.
88

**seguir la línea**
Capacidad de una letra de mantener el ojo en la misma línea y evitar que baile hacia arriba o hacia abajo.
22, 23, 30, 31

**separaciones**
50, 61

**sepia**
Pigmento de un marrón ennegrecido obtenido de la tinta del molusco (sepia).
32

**serifas**
Palabra de origen inglés (serif) que sirve para designar los remates de las letras romanas y de la egipcia.
16, 22, 24

**signos de puntuación**
→ puntuación
60

**subrayado**
53

**tablas de materias** → índices de contenido

**tapa dura** *(hardcover)*
Tipo de encuadernación en la que el conjunto de pliegos que conforman el libro se unen con una encuadernación rígida. El lomo no se pega a los cuadernos.
99

**tipo y pantalla**
84, 85

**tipos de composición**
28

**tipos de letra**
26

**tipos monoespaciales**
Tipos en los que, a imitación de la máquina de escribir, las letras ocupan todas el mismo ancho.
78

**tipos quebrados**
Tipos con trazos un tanto «rotos», en contraposición a la letra redonda, de la → romana. Hasta mediados del siglo xx, los tipos quebrados eran, junto a las romanas, los tipos de uso más extendido. Sus representantes principales son: gótica de forma (Textura), gótica de fractura (Fraktur), Schwabacher y gótica de suma (Rotunda).
12

**titulillo en línea**
Título compuesto a principio de línea.
25, 86

**titulillos**
83

**títulos**
29, 63, 86, 87

**trama**
Descomposición de grados de gris de, por ejemplo, fotografías; en la impresión en *offset,* los puntos varían en cuanto a su tamaño, mientras que en el huecograbado es la profundidad de los puntos la que cambia.
41-49

**trama de huecograbado**
(→ trama)
28, 41

**transparencia**
Carácter más o menos opaco del papel. Opaco es lo contrario de transparente.
32

**trazos**
Formas y trazos característicos de las letras.
19, 25

**versales**
Letras mayúsculas.
52, 61

**versalitas**
Letras que tienen forma de mayúscula pero con el tamaño del ojo medio (altura de x) del mismo cuerpo. Pueden componerse con o sin → versales.
52, 59, 61

# Signos de corrección más importantes

– Los signos de corrección deben repetirse siempre al margen.
– Las correcciones deben ser claras.
– Hay que usar siempre tinta roja.

Éste es una texto de prueba. Sirve para apreciar muchas cuestiones relacionadas con el tipo en que que está compuesto. Con un simple vistazo puede apreciarse el gris del bloque tipográfico. También puede comprobarse la legibilidad del tipo y los efectos que éste produce en el lector. Puede constatarse lo ancho o lo estrecho de su ojo. Si nos fijamos, podemos observar caracteres aislados y sus particularidades. Cuando se comparan tipos con cierta frecuencia, pueden reconocerse y nombrarse. Naturalmente, también es importante a la hora de determinar la legibilidad y el efecto de un tipo, el tamaño en que se compone, cómo se estructura la tipografía y sobre qué se imprime. Éste es un texto de prueba. Sirve para apreciar muchas cuestiones relacionadas con el tipo en que está compuesto.

Con un simple vistazo puede apreciarse el gris del bloque tipográfico.

También puede comprobarse la legibilidad del tipo hoy, en 1799, y los efectos que éste produce en el lector. Puede constatarse lo ancho o lo estrecho de su ojo. Si nos fijamos, caracteres observar podemos los aislados y sus particularidades. Cuando se comparan tipos con cierta frecuencia, pueden reconocerse y nombrarse. Naturalmente, también es importante, a la hora de determinar la legibilidad y el efecto de un tipo, el tamaño en que se compone, cómo se estructura la tipografía y sobre qué se imprime. Éste es un texto de prueba.

Sirve para apreciar muchas cuestiones relacionadas con el tipo en que está compuesto. Con un simple vistazo puede apreciarse el gris del bloque tipográfico. También puede comprobarse la legibilidad del tipo y los efectos que éste produce en el lector. Puede constatarse lo ancho o lo estrecho de su ojo. Si nos fijamos, podemos observar

| Signo | Significado |
| --- | --- |
| | Eliminar letra, sustituir letra |
| | Eliminar palabra |
| | Añadir letra |
| | Añadir signo de puntuación |
| | Añadir espacio |
| | Añadir palabra |
| | Reducir el espacio entre las palabras |
| | Ampliar el espacio entre las palabras |
| | Justificar |
| *cursiva* | Destacar de otra manera |
| | Trasponer letras |
| | Incluir entradilla |
| | Eliminar entradilla |
| 1999 | Número erróneo (hay que tacharlo todo, no solo algunas cifras) |
| | Cambiar el orden de una serie de palabras |
| | Punto y aparte |
| | Unir párrafos |
| ter | Separación incorrecta |
| | Aumentar el interlineado |
| | Reducir el interlineado |
| | Omitir la corrección |